CONSTELAÇÕES FAMILIARES

BERT HELLINGER
GABRIELE TEN HÖVEL

Constelações Familiares

O Reconhecimento das Ordens do Amor

Tradução
ELOISA GIANCOLI TIRONI
TSUYUKO JINNO-SPELTER

Editora Cultrix
SÃO PAULO

Título original: *Annerkennen, was ist.*

Copyright © 1996 Kösel-Verlag GmbH & Co., Munique.

Copyright da edição brasileira © 2001 Editora Pensamento-Cultrix Ltda.

1ª edição 2001.

19ª reimpressão 2023.

Todos os direitos reservados. Nenhuma parte deste livro pode ser reproduzida ou usada de qualquer forma ou por qualquer meio, eletrônico ou mecânico, inclusive fotocópias, gravações ou sistema de armazenamento em banco de dados, sem permissão por escrito, exceto nos casos de trechos curtos citados em resenhas críticas ou artigos de revistas.

**Dados Internacionais de Catalogação na Publicação (CIP)
(Câmara Brasileira do Livro, SP, Brasil)**

Hellinger, Bert
  Constelações familiares : o reconhecimento das ordens do amor / Bert Hellinger, Gabriele Ten Hövel ; tradução Eloisa Giancoli Tironi, Tsuyuko Jinno-Spelter. -- São Paulo : Cultrix, 2007.

  Título original: Anerkennen, was ist.
  6ª reimpr. da 1ª ed. de 2001.
  ISBN 978-85-316-0673-1

  1. Conduta de vida 2. Hellinger, Bert, 1925- - Entrevistas 3. Psicoterapia de família I. Ten Hövel, Gabriele. II. Título.

07-2030   CDD-616-89156
                                       NLM-WM 420

Índices para catálogo sistemático:
1. Bert Hellinger : Entrevistas : Psicoterapia familiar :
    Ciências médicas   616-89156

Direitos de tradução para o Brasil adquiridos com exclusividade pela
EDITORA PENSAMENTO-CULTRIX LTDA., que se reserva a
propriedade literária desta tradução
Rua Dr. Mário Vicente, 368 – 04270-000 – São Paulo, SP – Fone: (11) 2066-9000
http://www.editoracultrix.com.br
E-mail: atendimento@editoracultrix.com.br
Foi feito o depósito legal.

Sumário

Prefácio	7
Sofrer é mais fácil do que encontrar soluções	11
A constelação familiar	12
Uma nova imagem	17
A bênção do pai	17
A solução	21
A causa das doenças nas famílias	22
A presunção e suas conseqüências	24
Agressores e vítimas	27
Eu me submeto à realidade tal como ela se apresenta	30
A psicoterapia fenomenológica	30
Todos nós estamos emaranhados, cada qual a seu modo	37
O papel da consciência	37
Quem se considera bom demais para ficar zangado acaba com o relacionamento	44
Equilíbrio, amor e vingança	44
Quem está em harmonia não luta	49
A predestinação	49
A grandeza está no trivial	53
A meditação e os caminhos espirituais	53
O progresso está ligado à culpa	59
A lealdade e a rebeldia	59
O ser está além da vida	63
A morte	63

Tocar a grandeza na alma	67
Como encontrar soluções	67
As ordens são descobertas	77
Experiência, liberdade e ideologia	77
Pode-se sempre confiar no amor	80
A terapia e a família	80
O triunfo é a renúncia ao sucesso	88
Diferenciação dos sentimentos	88
Os donos da verdade não se preocupam em saber a verdade	97
O saber e a percepção	97
Os pecados também têm conseqüências positivas	101
O lado subversivo da ordem	101
Psicocapitalistas da pior espécie	105
Auto-realização, vínculo e plenitude	105
Os filhos pertencem aos pais	110
A adoção e o incesto	110
A sexualidade é maior do que o amor	117
O amor, a violência e os vínculos	117
A indignação não traz nada de positivo	126
A política e o engajamento	126
Eu abro mão da esperança de uma paz eterna	134
A ilusão do poder	134
A felicidade é uma conquista da alma	137
A alma se orienta por leis diferentes daquelas do "Zeitgeist"	140
O homem e a mulher	140
Eu me preocupo com a nova geração	150
O engajamento e o equilíbrio	150
Epílogo	157

Prefácio

Bert Hellinger confundiu a minha cabeça e tocou a minha alma. Fez com que eu me sentisse insegura, indignada e curiosa. Muitas de suas idéias pareceram-me, à primeira vista, terrivelmente familiares: "A maternidade é uma tarefa grandiosa" — Oh, meu Deus! "Honrar pai e mãe" — que coisa mais católica! "Não se oponha aos seus pais, aceite-os como eles são" — mas eles me fizeram coisas terríveis! "A mulher deve seguir o homem!" E justo *você* considera isso bom?

Sim. O trabalho terapêutico de Hellinger me deixou absolutamente fascinada. Observei-o durante três dias, enquanto trabalhava com doentes, diante de um auditório de 400 pessoas. No início parecia uma peça de teatro: excitante, tocante e como se fosse tirada da vida real. Entretanto, os espectadores, a princípio neutros, transformaram-se gradual e imperceptivelmente em participantes de um drama que se chama "família". Subitamente a história de cada um deles, acontecimentos que pareciam até então irrelevantes, adquirem importância: "É mesmo, tenho, na verdade, uma meia-irmã!" Inesperadamente as lágrimas rolam pelas faces porque alguém se curva perante a mãe. — Que diabos! O que é *isso*? E à noite chega, inesperado, o esgotamento. — Sabe Deus por quê. "Afinal de contas, eu estava *só* assistindo!"

Por que é que palavras piedosas de repente adquirem tanto significado no trabalho terapêutico? Mostrar humildade perante os pais, pedir a "bênção" ao pai? O que há de verdadeiro em se chamar uma desculpa de "descabida" e o perdão de "presunção"? O que é que conduz o pensamento desse homem em seu trabalho terapêutico e como é que ele consegue tocar com precisão os pontos cegos do nosso arraigado pensamento racionalista? Por que é que ele vê:

- amor em casos de incesto (mas isso é ultrajante!)
- a inevitabilidade da culpa no contexto nazista (mas eles deveriam ter percebido isso e tentado fazer o que era certo!)
- a indignação como uma energia que leva à violência (mas é fundamental lutar contra a injustiça!)
- o respeito pelo masculino apesar de toda a emancipação (como ter respeito pelo masculino em vista de tanto desrespeito pelo feminino?)
- a culpa dos pais adotivos com relação à criança adotada (mas a adoção é um grande ato social!)
- o vínculo com a família como fonte de liberdade (mas é essencial que os filhos se emancipem dos pais!)
- a reconciliação com o próprio destino (eu decido sobre o meu destino!)

Essas questões todas afluíram à minha cabeça! Entretanto, a causa verdadeira da minha fascinação pelo trabalho de Hellinger foi simplesmente o modo como ele me comoveu. Tanto quando testemunhei seu trabalho como quando folheei seus livros ou, posteriormente, nas conversas que com ele travei por horas a fio, sempre senti uma estranha sensação de paz, descontração e relaxamento com relação a mim mesma e ao mundo em geral. Por que será? Talvez seja por causa de sua persistente busca pelo amor como fonte de emaranhamentos, sofrimentos e doenças. A linguagem de Hellinger pode parecer às vezes um tanto antiquada. Quando ele fala de humildade, bondade ou misericórdia, da bênção do pai, da vida como uma dádiva ou de reconciliação, alcança uma esfera da alma para a qual a psicologia moderna de orientação analítica não encontra palavras. É como se ele construísse uma ponte para uma realidade da vida que não tem nenhuma linguagem para os movimentos profundos da alma. Tudo isso me pareceu incrível. Quem é esse homem que me toca de forma tão insólita, transcendendo a minha capacidade de entendimento?

Se acha necessário, Bert Hellinger pode ser rude com seus clientes, resoluto e, para usar uma expressão suave — extremamente enérgico. Alguns dizem autoritário. Ele não receia expressar abertamente opiniões duras quando outros ousam, no máximo, pensar nelas! Ele mais considera do que tem consideração.

Com seu trabalho, esse psicoterapeuta que prefere ser chamado de "assistente de almas" parece debochar daqueles que se intitulam advogados

dos pobres e desamparados, dos viúvos e órfãos, sejam eles terapeutas, sacerdotes ou pessoas que se dedicam, de bom grado, às áreas assistenciais. Mas, não sei por que, as palavras dessas pessoas bem-intencionadas e dos grandes propósitos da educação ou da terapia que objetivam o esclarecimento, parecem pálidas, arrogantes e sem força quando comparadas à linguagem simples de Hellinger. E tem mais. Esse Hellinger não tem a mínima pretensão de saber muita coisa! Que estranho!

Geralmente, é importante para os terapeutas apresentar aos clientes os ângulos mais profundos do seu sofrimento pessoal em porções consideradas digeríveis. Hellinger pergunta "só" pelos acontecimentos, não pelo que a pessoa está pensando ou sentindo "precisamente naquele momento". Não, ele diz: "Siga em frente, monte simplesmente a sua constelação familiar", interrompendo, já de início, lamúrias sobre pais malvados e mães devoradoras.

Certa vez ele trabalhou com um homem que tinha perdido a mulher e o filho num acidente. A descrição dos acontecimentos foi tão terrível que paralisou todo o recinto. E Hellinger, de pé em frente a esse homem, ouve-o e sua voz se suaviza: "Agora monte a constelação" e, de um modo inigualável, vê com esse homem a morte de seus entes queridos, para acompanhá-lo de volta à vida — bem mansamente, com poucas palavras e uma segurança bondosa que envolve todos os presentes. Ele é assim também. Um homem sensível, com um grande coração, completamente concentrado em sua compaixão.

E um dia nós nos encontramos frente a frente. A princípio no estúdio de uma emissora de rádio, depois em seu escritório, onde tratamos da minha longa lista de perguntas. Que bom que ele aceitou! Nem tudo ficou esclarecido até o último detalhe, mas foi o suficiente para começar.

As conversas com Bert Hellinger convidam para uma volta numa montanha-russa de pensamentos e sentimentos. Ele provoca, fascina, toca e irrita. Essa mistura alimenta o espírito e estimula um tipo de raciocínio que, do contrário, poderia permanecer inerte e satisfeito dentro de nós. E de alguma forma você passa a olhar o mundo com mais indulgência.

Gabriele ten Hövel

Sofrer é mais fácil do que encontrar soluções

Este primeiro capítulo é a transcrição de um programa de rádio, no qual o método de trabalho de Bert Hellinger foi apresentado aos ouvintes da Emissora Südfunk 2, de Stuttgart. Ela foi colocada no início deste livro porque serve como introdução ao pensamento e à técnica de trabalho de Hellinger.

Gabriele ten Hövel: *O que é uma "terapia familiar sistêmica"?*

Bert Hellinger: Na terapia familiar sistêmica, trata-se de averiguar se no sistema familiar ampliado existe alguém que esteja emaranhado nos destinos de membros anteriores dessa família. Isso pode ser trazido à luz através do trabalho com constelações familiares. Trazendo-se à luz os emaranhamentos, a pessoa consegue se libertar mais facilmente deles.

O que são "constelações familiares"? Vamos dar um exemplo, assim poderemos falar melhor sobre elas. Esse exemplo provém de um seminário de Bert Hellinger em um congresso em Garmisch, onde ele trabalhou com doentes. Estes estão sentados num grande círculo e cercados por aproximadamente 400 pessoas que participam como observadores. Bert Hellinger inicia o trabalho perguntando aos clientes o que os aflige. Um jovem sofre, desde os 18 anos de idade, de uma enfermidade que se manifesta através de taquicardia e distúrbios vegetativos. Bert Hellinger passa a entrevistá-lo:

Cliente: Existem muitos conflitos na minha família. Minha mãe e meu pai são separados. Minha mãe e meu avô estão brigados. Isso cria muitos problemas práticos, por exemplo: Como poderei reuni-los todos para o meu casamento?

Hellinger (para o público): Para este trabalho são importantes apenas pouquíssimas informações, isto é, fatos externos e significativos, não o que as pessoas pensam ou fazem. Um deles ele já mencionou: seus pais estão separados. Outros acontecimentos significativos são, por exemplo, a morte de irmãos ou a exclusão ou expulsão de um membro da família. Ou hospitalizações em tenra idade ou complicações durante o nascimento de uma criança ou quando uma mãe morre de parto. Essas são as coisas nas quais estamos interessados.

(para o cliente): Aconteceu algo significativo em sua família?

Cliente: A irmã gêmea de minha mãe morreu.

Hellinger: Isso já me basta. Isso é tão significativo que provavelmente encobre todos os outros acontecimentos. Posicione, portanto, em primeiro lugar, a sua família de origem: a sua mãe, o seu pai — e quantos filhos?

Cliente: Tenho ainda uma irmã mais nova.

Hellinger: Ok. Posicione as quatro pessoas agora. Escolha alguém do público para representar o seu pai, alguém para a sua mãe, para a sua irmã e para você. Pegue qualquer pessoa, basta que você as coloque em seus lugares. Então vá até cada uma delas, pegue-as com ambas as mãos e encaminhe-as para seus lugares — em silêncio. E os representantes também não dizem nada. Posicione-os em relação uns aos outros, tal qual a imagem interior que você tem da sua família neste exato momento

A constelação familiar

O jovem escolhe entre o público presente representantes para o pai, a mãe e a irmã, pessoas totalmente desconhecidas, e as posiciona em relação umas às outras, de acordo com a sua imagem interior no momento. Neste caso o pai estava afastado e virado de costas para a mãe. A pessoa que representava o cliente estava, ao contrário, na frente da mãe. Ali estavam pessoas completamente estranhas, escolhidas ao acaso, que não conheciam o cliente e nem a sua história familiar. O que pode acontecer então?

O que é curioso nessas constelações é que as pessoas escolhidas para representar os membros da família se sentem como as pessoas reais, tão logo se encontrem na constelação. Algumas vezes começam a sentir até os sintomas que os membros dessa família têm, sem sequer saber algo sobre eles. Por exemplo, uma pessoa teve uma vez um ataque epiléptico quando representou um epiléptico. Ou freqüentemente um representante tem taquicardia ou sente que um lado do corpo está frio. Se questionarmos as pessoas reais, verificamos que é realmente o que sentem. Não existe uma explicação para esse fato. Mas foi constatado milhares de vezes nessas constelações.

O que o senhor pode ver quando olha para uma constelação? Como é que ela atua?

Posso ver os relacionamentos entre os membros da família. Aqui, por exemplo, é bem significativo que o pai fique afastado e virado de costas e o filho fique na frente da mãe. Deixando que isso atue dentro de nós, podemos ver onde está o problema.

O senhor fala em "emaranhamentos". O que quer dizer com isso?

Emaranhamento significa que alguém na família retoma e revive inconscientemente o destino de um familiar que viveu antes dele. Se, por exemplo, numa família, uma criança foi entregue para adoção, mesmo numa geração anterior, então um membro posterior dessa família se comporta como se ele mesmo tivesse sido entregue. Sem conhecer esse emaranhamento não poderá se livrar dele. A solução segue o caminho contrário: a pessoa que foi entregue para adoção entra novamente em jogo. É colocada, por exemplo, na constelação familiar. De repente, a pessoa que foi excluída da família passa a ser uma proteção para aquela que estava identificada com ela. Quando essa pessoa volta a fazer parte do sistema familiar e é honrada, ela olha afetuosamente para os descendentes.

Isso não é tão fácil de ser entendido. Uma pessoa repete um destino que lhe é desconhecido. O cliente, por exemplo, nem chegou a conhecer a sua falecida tia. De onde vem então o emaranhamento? Tem algo a ver com o que o senhor denomina de "consciência de clã"?

Exato. Obviamente existe uma consciência de grupo que influencia todos os membros do sistema familiar. A este pertencem os filhos, os pais, os avós, os irmãos dos pais e aqueles que foram substituídos por outras pessoas que se tornaram membros da família, por exemplo, parceiros anteriores (maridos/mulheres) ou noivos(as) dos pais. Se qualquer um desses membros do grupo foi tratado injustamente, existirá nesse grupo uma necessidade irresistível de compensação. Isso significa que a injustiça que foi cometida em gerações anteriores será representada e sofrida posteriormente por alguém da família para que a ordem seja restaurada no grupo. É uma espécie de compulsão sistêmica de repetição. Mas essa forma de repetição nunca coloca nada em ordem. Aqueles que devem assumir o destino de um membro excluído da família são escolhidos e tratados injustamente pela consciência de grupo. São, na verdade, completamente inocentes. Contudo, pode ser que aqueles que se tornaram realmente culpados, porque abandonaram ou excluíram um membro da família, por exemplo, sintam-se bem. A consciência de grupo não conhece justiça para os descendentes, mas somente para os ascendentes. Obviamente, isso tem a ver com a ordem básica dos sistemas familiares. Ela atende à lei de que aquele que pertenceu uma vez ao sistema tem o mesmo direito de pertinência que todos os outros. Mas, quando alguém é condenado ou expulso, isso significa: "Você tem menos direito de pertencer ao sistema do que eu". Essa é a injustiça expiada através do emaranhamento, sem que as pessoas afetadas saibam disso.

O senhor poderia dar um exemplo de como isso pode afetar as gerações posteriores? Como podemos ter uma idéia disso?

Posso dar um exemplo bem terrível. Há algum tempo, um advogado veio a mim completamente perturbado. Ele tinha pesquisado em sua família e descobrira o seguinte: sua bisavó fora casada e estava grávida quando conheceu outro homem. Seu primeiro marido morrera no dia 31 de dezembro com 27 anos, e existe a suspeita de que ele tenha sido assassinado. Mais tarde, essa mulher acabou por não dar a propriedade que herdara do marido ao primeiro filho, mas ao filho do segundo matrimônio. Isso foi uma grande injustiça. Desde então, três homens dessa família se suicidaram no dia 31 de dezembro, na idade de 27 anos. Quando o advogado soube disso, lembrou-se de um primo que acabara de completar 27 anos; e o dia 31 de dezembro se aproxima. Ele foi, então, até a casa dele para avisá-lo.
Este já havia comprado um revólver para se matar. Assim atuam os emaranhamentos. Posteriormente, esse mesmo advogado voltou a me procurar, em perigo iminente de se suicidar. Pedi-lhe que se encostasse numa parede, imaginasse o homem morto e dissesse: "Eu o reverencio e

você tem um lugar no meu coração. Vou falar abertamente sobre a injustiça que lhe fizeram para que tudo fique bem". Assim ele se livrou do seu estado de pânico.

Voltando ao nosso exemplo: em seguida, o jovem que montara a constelação familiar senta-se e olha para o que Hellinger está fazendo. Este pergunta para os representantes como eles se sentem na constelação.

Hellinger: Como se sente o pai?

Pai: No momento não estou sentindo nada.

Mãe: Sinto-me um pouco isolada e se este é o meu marido está longe demais. Sinto, de certa forma, uma relação especial com meu filho.

Hellinger (para o público): Quem é que o filho está provavelmente representando? A falecida irmã gêmea da mãe. Imaginem o que isso significa para uma criança. Como vai o filho?

Filho: Percebo que aqui estou fora de lugar. Estou na frente de todos eles. Sinto também que existe um forte vínculo com a minha mãe.

Hellinger: Como vai a irmã?

Irmã: Não muito bem do lado esquerdo. Está muito apertado aqui. O meu irmão é a pessoa que mais me interessa.

Hellinger (para o público): Quando se vê numa constelação familiar que uma pessoa foi excluída e não aparece, então o próximo passo é colocá-la novamente em jogo. Agora, vou trazer um representante para a irmã gêmea da mãe.
(para o cliente): Como ela morreu?

Cliente: Foi extremamente trágico. Aconteceu depois da guerra. Meu avô tinha acabado de voltar e no domingo à tarde tinha que entregar uma mercadoria com o seu caminhão. Ele ia levar a minha avó e essa filha. A menina estava brincando com a maçaneta da porta do caminhão quando iam partir; ela caiu e foi atropelada pelo próprio pai. Foi terrível. Ela tinha 7 anos de idade.

Hellinger: Escolha uma pessoa para representar a irmã de sua mãe e coloque-a bem pertinho dela.
(para a mãe): Como está se sentindo agora?

Mãe: Melhor, mas ela está muito perto.

Hellinger: É, mas também tem que ser assim. Como vai a irmã falecida?

Irmã falecida: Acho muito agradável ficar aqui tão perto.

Hellinger: O que mudou agora para o filho?

Filho: Noto agora que o relacionamento com a minha mãe já não é tão forte e que ela se volta mais para o meu pai.

Hellinger (para o público): Exatamente. Ele fica aliviado com a presença dela no sistema. Mudou algo para o pai?

Pai: Sinto-me isolado na posição em que me encontro, afastado da família. Preciso fazer um grande esforço para saber o que está acontecendo lá.

Hellinger: Pois bem, do ponto de vista sistêmico, este homem não tem nenhuma chance com esta mulher. A mulher está tão ligada ao seu sistema familiar de origem e à irmã gêmea que não pode se dedicar de fato a um homem. Portanto, este relacionamento estava fadado a fracassar. Mas os filhos devem ficar com o pai.

(Hellinger coloca o filho e a filha na frente do pai)

Hellinger (para o filho): Como se sente neste lugar?

Filho: Está mais harmonioso. Sinto agora um relacionamento mais forte com o meu pai. De alguma maneira, a minha irmã ao meu lado me dá forças.

Hellinger (para a filha): Como está se sentindo agora?

Filha: Melhor, também. Mas já comecei a me sentir melhor quando a irmã gêmea da minha mãe apareceu.

Pai: Sinto-me melhor tendo na minha frente alguém que olhe para mim.

Hellinger: O filho precisa ficar por um certo tempo ao lado do pai. Realmente perto. Aqui está a força que pode curá-lo.
(para o cliente): Isso faz sentido para você?

Cliente: Sim, até certo ponto: Durante muitos anos não tive contato com meu pai. Agora, nos últimos anos, temos nos visto. Sinto que ele tem muitas expectativas que não posso satisfazer.

Hellinger: Você precisa pedir a bênção dele.

Uma nova imagem

Durante o trabalho, o senhor faz, de vez em quando, perguntas ao cliente. No final o senhor olha juntamente com o cliente a constelação ou ele toma o lugar do seu representante na mesma. O que acontece com ele ao montar a constelação?

Em primeiro lugar, ele vê que tinha uma imagem incompleta da família. Nesse caso, por exemplo, a irmã gêmea tinha sido excluída. Ele percebe que tinha que substituí-la para a mãe. E vê que seu pai queria partir. Quando a pessoa excluída aparece no sistema, a imagem se transforma. Os filhos vão para a esfera de influência do pai, em vez de continuar ao lado da mãe, e a mãe é deixada sozinha com a irmã gêmea porque elas têm um vínculo. Assim o cliente consegue formar uma nova imagem da família. De repente, ele vê que é a mãe que quer se afastar e que o marido se afastou no lugar dela. Isso acontece freqüentemente, um parceiro se afasta, embora seja o outro quem deva se afastar. Os filhos não estão mais ao lado da mãe, mas ao lado do pai. Dele é que vem a força que traz a cura. O cliente que estivera tanto tempo na esfera de influência da mãe e longe do pai agora deve mudar para a esfera de influência do pai. Assim, a força masculina pode fluir para dentro do filho. Mas isso não é o suficiente. Ele estava em conflito com o pai porque estava ao lado da mãe. Agora precisa conquistar o pai e receber sua bênção.

A bênção do pai

Bênção, isso tem algo de muito religioso.

Sim, é verdade. Para ser exato, o ser humano não vem dos pais, mas por intermédio deles. A vida vem de bem longe e nós não sabemos que origem é essa. Olhar para essa origem é algo religioso. Não olhamos então para o que está perto, mas para a origem, sem denominá-la.
Por isso, se esse filho se curvar perante o pai e pedir-lhe a bênção, ele se submete a essa corrente. Essa bênção também não vem do pai, não só dele, ela vem de longe, através do pai, e chega até o filho. Nesse sentido, isso também é religioso. A força dessa bênção não é algo que está nas

mãos do pai. Quem toma a vida dessa forma está em harmonia com a sua origem, está de acordo com o seu destino singular, que é determinado, num sentido amplo, pelos pais. Através deles, o filho conhece as possibilidades e limitações que tem. Se ele concordar com ambos, é como se se submetesse ao mundo tal como ele é. E isso é uma atitude religiosa.

De certa forma as constelações têm um pouco de liturgia em si; são um ritual de cura. Mas não é um ritual imposto de fora; ele resulta da dinâmica da constelação. Por isso devemos ser muito prudentes e lidar com elas com grande cautela e respeito.

Na liturgia, o sacerdote é a figura principal. Nessa espécie de constelação o cliente não tem um papel muito ativo. Ele olha como o terapeuta muda a disposição da constelação, até que todos os membros da família se sintam melhor. Isso é uma maneira bem passiva de submeter-se a uma terapia.

O cliente monta o seu sistema familiar e portanto ele é bem ativo. Somente depois que ele monta a constelação é que eu o ajudo a encontrar a ordem. No final, quando se chega à solução, ele torna-se ativo outra vez, por exemplo, quando pede ao pai: "Por favor, me abençoe". Quando o cliente é simplesmente passivo, paro imediatamente o trabalho. Quando alguém tenta fazer com que eu faça o trabalho por ele, interrompo imediatamente. Não trabalho com esse tipo de pessoa.

Mas existe uma grande verdade no que a senhora disse sobre o sacerdócio. Como terapeuta sinto-me em harmonia com uma ordem maior. É só porque estou em harmonia com ela que consigo ver a solução e colocá-la em prática. Por isso, um terapeuta que faz esse tipo de trabalho é muito ativo. Muitas vezes isso parece assustador para alguns. É como agir com grande autoridade.

Muitos dizem que é autoritário.

É, ouço isso muitas vezes. Entretanto, essa espécie de autoridade só pode ser exercida com extrema humildade, isto é, em harmonia. Eu faço uso dela porque me sinto em harmonia com a realidade que se apresenta à minha frente. Sinto-me, acima de tudo, em harmonia com os que foram excluídos.

Os excluídos são aqueles que, por alguma razão, foram deixados de lado por uma família.

São aqueles a quem se negou o respeito ou o seu direito de pertinência ou uma posição de igualdade com relação aos outros membros da família.

Portanto, nesse caso seria a irmã gêmea falecida. Mas esse fato era do conhecimento de todos nessa família, não era?

Era. Mas o que acontece num caso tão infeliz? Isso provoca um medo tão grande no sistema que nenhum membro da família quer saber disso ou encarar a realidade. Esse cliente escreveu-me há algumas semanas uma carta, em que ficava claro que ele também estava querendo imitar o avô, por sentir uma grande compaixão por ele. Devia ter sido uma situação horrível para o avô. Eu lhe respondi que deveria confiar que o avô seria capaz de lidar com o próprio destino.

O avô é aquele que causou a morte da irmã gêmea.

É. Ninguém deve consolá-lo. Isso não é possível. A dignidade desse homem exige que se deixe que ele carregue o seu destino sozinho. Ele adquire grandeza dessa forma e ninguém deve interferir. Quando digo algo assim, por um lado estou sendo duro; por outro, estou sendo respeitoso, e em harmonia com esse avô, porque o respeito. Se ajo dessa forma, o neto também fica livre.

Na última parte da constelação o senhor disse: "Neste relacionamento o pai não tem nenhuma chance com essa mulher, este relacionamento estava fadado ao fracasso". Isso também parece muito categórico, muito duro.

Mas isso não é algo que eu tenha imaginado. Se um irmão gêmeo falece cedo, principalmente do modo como aconteceu, então o outro quer segui-lo. Essa mulher não conseguirá livrar-se da irmã gêmea mesmo que queira. Isso parece muito duro.
Eu poderia colocá-la agora à direita, ao lado do marido, e a irmã gêmea à sua direita, perto dela. Assim, a irmã gêmea estaria incluída no sistema. Mas, segundo a minha experiência, sei que neste caso isso não iria adiantar. O destino é tão ingrato que a mãe é impulsionada para fora do sistema. Convém deixá-la voltar à sua família de origem.
Não que ela vá se suicidar ou algo parecido; ela só não consegue suportar a idéia de ser feliz ao lado de um homem, sendo que a irmã foi tão infeliz.

É um amor muito profundo que atua aqui. Se eu o respeito então a mãe fica livre para seguir o próprio destino e sente-se mais leve porque agora está ligada à irmã gêmea que fora excluída. Mas a possibilidade de viver feliz ao lado do marido é algo que vai contra toda a minha experiência. Não se pode subestimar esses vínculos profundos.

Nesse caso, o senhor fez um pequeno exercício com o jovem.

Hellinger (para o cliente): Vá até a irmã gêmea falecida e lhe faça uma reverência bem suavemente, com respeito. Depois faça o mesmo com seus avós. Faça isso com respeito e reconhecimento pelo destino deles.

(O cliente faz a reverência)

Levante a cabeça e olhe para todos eles. Você não olhou ainda para a irmã gêmea. Olhe sua tia nos olhos. Respire profundamente e faça outra reverência, bem lentamente. Deixe a boca aberta, respire profundamente. Deixe a dor aflorar. É uma dor que honra a sua tia. Olhe-a novamente.

(Para o público): Agora podemos ver a diferença nos dois semblantes, no dela e no dele. Ele não consegue aceitar o que ela lhe oferece. É mais fácil para ele suportar a doença do que aceitar a bênção da tia.

O senhor terminou assim a constelação. Uma pessoa do público fez uma pergunta demonstrando preocupação: O que vai acontecer agora? O senhor vai deixar o jovem sair assim?

Hellinger (para o público): A pergunta da participante era: O que vai acontecer em seguida? Ela acha que algo mais deve acontecer. Não vai acontecer mais nada. Ele recusou a solução.

Assim, algo muito importante vem à tona: O problema e o sofrimento são mais fáceis de suportar do que a solução. Isso tem a ver com o fato de que sofrer ou manter o problema é algo que está profundamente vinculado a um sentimento de inocência e lealdade com relação à família num nível mágico. Com isso a pessoa tem a esperança de que o próprio sofrimento possa salvar uma outra pessoa da família. O cliente vê agora que a tia não precisa de salvação e isso representa para ele uma grande decepção, porque, dessa forma, tudo o que ele fizera por ela até então teria sido em vão. Isso não é tão fácil de se reconhecer. Ele prefere manter o problema, mesmo conhecendo a solução.

O terapeuta não deve interferir ou fazer qualquer outra coisa. Eu o entrego à sua boa alma. Isso é tudo o que posso fazer.

A solução

Aliás, este é um ponto a partir do qual normalmente se continua o trabalho terapêutico. O senhor pára simplesmente aqui?
Há algum tempo o cliente escreveu-me uma carta na qual pude ver que a sua boa alma tinha continuado a trabalhar. Depois de algum tempo, ficou claro para o jovem que ele não foi capaz de aceitar a bênção da irmã gêmea da mãe porque estava identificado com o avô. O avô dele não conseguiu aceitar o amor da filha morta.
O avô que causou a morte da filha.
Sim. Ele se sente tão culpado por ter atropelado a filha que não consegue se sentir aliviado com o sorriso amigável dela. Naquele momento, o cliente estava identificado com o avô. Pude agora ajudá-lo porque, nesse meio tempo, a alma dele continuou a agir. Ficou claro para ele o que se passa com o avô. Eu lhe disse que deixasse o sofrimento com o avô: assim ele ficaria livre.
O senhor disse que conseguiu ajudá-lo. O que isso significa concretamente? A doença dele melhorou?
Pude ajudá-lo a libertar-se da identificação com o avô. O avô é, certamente, alguém que, por causa desse acontecimento, tem necessidade de expiação. E a doença é, algumas vezes, uma necessidade de expiação. Pode ser também que a doença do cliente sirva de expiação, mas quem sofre é ele no lugar do avô. Se o cliente se libertar dessa identificação pode ser que a doença também melhore. Mas isso eu não sei. Também não me ocupo disso diretamente.
Eu me interesso pelas forças que atuam, curando a família. Pode ser possível curar uma doença quando essas forças positivas são colocadas em ação. Mas esse não é o meu objetivo primordial. Meu objetivo está no âmbito da alma e da família. Se com isso a doença melhora, fico contente. Mas é uma área que prefiro entregar aos médicos. Essa é área da res-

ponsabilidade deles. Eu não me envolvo em coisas que vão além da minha competência.

A causa das doenças nas famílias

O senhor trabalha com pacientes que estão em tratamento médico. Isso significa que os médicos trazem seus pacientes e então vocês trabalham em conjunto. Por um lado, o senhor diz que o câncer tem a ver com a falta de uma reverência, ou que distúrbios digestivos têm a ver com um relacionamento não-esclarecido com a mãe. Por outro lado, o senhor não diz: É possível curar doenças através da colocação da constelação familiar.

O que descobri durante o meu trabalho com doentes foi que a mesma dinâmica básica resulta em diversas doenças. Trabalho somente com as dinâmicas básicas.

Nas famílias, existe a possibilidade de que uma criança queira repetir o destino de um irmão ou irmã falecidos ou da mãe falecida ou do pai falecido. A criança diz em seu íntimo: "Eu irei com você". Pode ser que, nessa situação, ela tente se suicidar ou fique com câncer ou uma outra doença. Portanto, a mesma dinâmica básica pode ser expressa de formas diferentes. Por isso, não teria sentido se eu tentasse curar o câncer sem respeitar essas dinâmicas básicas.

Existem, na verdade, somente três dinâmicas básicas:
— "Eu o/a acompanho na morte ou na doença ou no destino";
— "Melhor eu morrer do que você" ou "Melhor eu partir do que você";
— Expiação por uma culpa pessoal.

Na constelação que demos como exemplo tratava-se provavelmente do caso em que o homem diz: "Melhor eu partir do que você, minha querida esposa".

Por que é que ele faz isso?

É inconsciente, totalmente inconsciente. As crianças também fazem isso. Por exemplo, quando vêem que um dos pais quer repetir o destino de alguém. Neste exemplo, a mãe quer seguir a irmã gêmea falecida. Então o filho diz: "Melhor eu ficar doente ou morrer do que você". Essa seria uma dinâmica possível.

Vamos olhar para um segundo exemplo, que ilustra o relacionamento entre pais e filhos.
Trata-se do caso de uma mulher que sofre de esclerose múltipla há doze anos. Ela contou que o pai tinha sido nazista e fora responsável pela morte de dois desertores. Novamente, foram pessoas estranhas escolhidas entre o público que fizeram o papel dos membros da família dela.
Nesse caso, o senhor mandou que o pai saísse do recinto. Por que o senhor fez isso?

Bem, essa é uma das grandes exceções da terapia familiar. Em geral, os assassinos perdem o direito à pertinência. Quem foi responsável pela morte de uma pessoa dessa forma culposa perdeu o direito à pertinência. Precisa deixar esse sistema. Sair fora da constelação significa que essa pessoa perdeu o direito de pertencer a esse sistema. Significa também que ela vai morrer ou quer morrer.

Se a pessoa que perdeu esse direito de pertinência não deixa o sistema, então um filho partirá no lugar dela. Por isso, a compaixão pelo agressor não leva a nada e só torna as coisas mais difíceis para os inocentes.

O senhor disse a essa mulher que a dinâmica da constelação dela era a seguinte: "É melhor eu desaparecer do que você". A filha quer ir no lugar do pai. Isso seria a causa da doença dela. Depois dessa explicação, houve um pequeno diálogo entre o senhor e a mulher e o senhor perguntou-lhe se isso estava claro para ela.

Cliente: Ficou claro para mim que eu posso parar de carregar qualquer tipo de responsabilidade pelo meu pai ou de ser responsável por ele. O que ele fez não tinha sido mencionado até dois ou três anos atrás. E contei isso para os meus irmãos e irmãs.

Hellinger: Você não deveria ter feito isso de forma nenhuma. Não. Você não deveria nem sequer ter perguntado isso a ele.

Cliente: Eu não perguntei, só disse: "Conte-me o que aconteceu durante a guerra".

Hellinger: Mas um filho não pode fazer isso. Um filho não deve se imiscuir nos segredos dos pais. Pode ser que uma parte de seu sofrimento seja expiação por ter feito isso.

Pergunta do público: Nossos pais não deveriam ter contado nada sobre a história do nazismo?

Hellinger: Não, não deveriam. Não, se estiveram pessoalmente envolvidos. O que fazem então os filhos? Eles dizem: "Olhe o que vocês fizeram!" Assim os filhos se tornam tão maus quanto os pais.

Pergunta do público: Posso descobrir coisas de meus pais e também entender por que se comportaram desse modo e perdoá-los.

Hellinger: A uma criança não é permitido nem entender nem perdoar. Que presunção!

A presunção e suas conseqüências

Neste ponto houve um grande burburinho. Uma parte do público ficou muito indignada. As crianças têm um senso intuitivo de justiça. E então por que não deveriam perguntar? Elas percebem quando os pais têm algo que lhes pesa na consciência.

Sim, elas podem perceber, mas não devem se envolver.

As crianças não são adultos. Elas simplesmente fazem perguntas. Com toda a inocência. Só por causa disso precisam ser castigadas com uma doença?

Depende naturalmente do que se trata. Se tiver relação com uma culpa dos pais ou com o relacionamento íntimo deles, qualquer pergunta dos filhos é pura presunção.
Se se tratar de uma culpa, os filhos vão colocar os pais diante do seu próprio tribunal e exigir deles: "Justifiquem-se". Não existe presunção maior.
Se os filhos fizerem isso, eles vão castigar a si mesmos. Mesmo que os pais contem voluntariamente algo de seu relacionamento conjugal. Por exemplo, se uma mulher diz: "O seu pai é impotente" ou "não fazemos sexo" ou algo parecido. Ou se o pai fala algo menosprezando a mãe e o filho escuta; este se castiga só pelo fato de ficar sabendo disso. E mais ainda se tiver ido atrás dessa informação. Então só existe uma solução para ele. Eu a chamo de "esquecimento espiritual". O filho deve retrair-se totalmente desse conhecimento.
Os filhos têm os pais que têm. Os pais não podem e nem precisam ser diferentes. Pois um homem e uma mulher tornam-se pais não porque

sejam bons ou ruins, mas porque se unem como homem e mulher. Só assim eles se tornam pais.

Por isso os filhos devem tomar a vida dos pais como eles a dão. Os pais não podem acrescentar nada, nem tirar nada dessa vida. Os filhos também não podem acrescentar nada e nem excluir nada dela. Devem tomar a vida assim como os pais a deram.

Não deveria ser o contrário? Não deveríamos dizer aos pais: Vocês não deveriam dizer nada, deveriam separar a esfera da vida das crianças da dos adultos?

É claro. A criança não tem nenhuma culpa se foi tomada como confidente. Entretanto, o efeito é o mesmo. Simplesmente o fato de tomar conhecimento faz com que a criança seja colocada numa posição que não lhe pertence. Mas eu lhe dou toda a razão: Devemos dizer isso aos pais. Antigamente, as esferas entre pais e filhos eram bem mais separadas do que hoje em dia. A camaradagem que existe entre pais e filhos, e que podemos observar freqüentemente nos dias de hoje, é uma coisa terrível para as crianças.

Vamos voltar ao exemplo de um seminário. Uma mulher conta:

Cliente: Aos 25 anos fiz uma operação para me livrar do bócio, há cinco anos atrás uma operação abdominal e além disso sofro de bronquite crônica.

Hellinger: Você é casada?

Cliente: Não.

Hellinger: Quantos anos tem?

Cliente: 35.

Hellinger: Aconteceu algo de especial na sua família de origem?

Cliente: Sofri abuso por parte do meu pai. Quando contei isso para minha mãe, ela não me deu apoio. Disse-me: "Não conte nada a ninguém, senão ele vai para a cadeia". Então eu me calei.

Hellinger: Ok. Você tem pai, mãe e quantos irmãos e irmãs?

Cliente: Dois irmãos e um menino, o primeiro filho de minha mãe, que morreu com 3 dias de vida.

Hellinger: De quê?

Cliente: Ele ficou azul e morreu.

Hellinger: Bem, agora disponha na constelação a sua família: pai, mãe e os filhos.

Depois de montar a constelação, a mulher se senta e Bert Hellinger pergunta aos representantes dos membros da família:

Hellinger: Como se sente o pai?

Pai: Não sinto nenhuma mulher ao meu lado; só sinto que tenho uma relação com a filha.

Hellinger: Como se sente a mãe?

Mulher: Estou perto demais dele e a criança é de certa forma problemática. Está tão longe. É desagradável para mim. Quero ficar mais perto dessa criança.

Hellinger: Como se sente a filha?

Filha: Tenho as mãos quentes. Sinto agressividade, medo e raiva.

Hellinger (para a cliente): Agora vamos acrescentar a criança que morreu. Escolha alguém e o posicione.
(para a filha): O que mudou para você?

Filha: Sinto-me bem melhor, mais protegida. Não estou mais sozinha.

Pai: É, sinto que tenho um relacionamento com ela.

Mulher: Quero simplesmente ir para junto dessa criança.

Hellinger: Para a sua filha?

Mulher: É.

Irmão: Eu gostaria de unir a família.

Hellinger (para a criança morta): Como você se sente?

Criança morta: Sinto-me morta.

Hellinger: É. Exatamente.
(para a cliente): O que aconteceu na família de sua mãe?

Cliente: Uma irmã dela foi para um país estrangeiro com 8 anos de idade e ficou por lá.

Hellinger: Como uma menina de 8 anos de idade pode ir embora?

Cliente: É, foi uma espécie de intercâmbio escolar.

Hellinger: Com 8 anos? Estranho.

Cliente: É, ela foi para o exterior. Foi uma espécie de intercâmbio escolar entre a Hungria e a Suíça. O casal suíço pediu aos meus avós que lhe dessem a criança porque ainda lhes restariam outros filhos. Então os meus avós...

Hellinger: Isso já me basta. Para onde a mãe quer ir? Para junto da irmã.

Novamente é a mãe que quer sair da família?

A irmã foi entregue para adoção e a mãe também quer ir embora. Ela quer ir para junto da irmã. Existe um amor muito profundo e um vínculo muito grande entre irmãos. Se um deles sofre, os outros sofrem também. Por exemplo, se uma das crianças é deficiente, os outros, muito freqüentemente, comportam-se como se não pudessem aceitar totalmente a vida. Esse é o efeito desse amor e lealdade.

O senhor perguntou o que aconteceu na família da mãe e não na do pai. Afinal de contas, foi o pai que abusou da filha.

Pôde-se ver na constelação que o problema estava com a mãe. Em caso de abuso de menores existem, na maioria das vezes, dois agressores. Na verdade, um está em primeiro plano, neste caso, o pai, e o outro em segundo plano. Por isso nesses casos não existe solução se não olharmos para ambos os agressores. Dizer isso aqui é um pouco arriscado; entretanto, eu diria que a mãe quer se afastar do pai para seguir a irmã. Sentindo-se culpada com relação ao marido, oferece a filha como substituta.

Agressores e vítimas

Isso é muito provocativo. Muitas pessoas que trabalham com meninas que sofreram abuso sexual certamente ficam indignadas quando ouvem que a mãe é, na realidade, a causa do abuso.

Naturalmente não é que eu tire a culpa do homem. Seria um erro encarar a coisa desse modo. Temos simplesmente que ver o quadro completo. Não bastaria para a criança ficar zangada com o pai; ela tem de ficar zangada também com a mãe. Pelo que pude observar até agora, os pais estão quase sempre em conluio, num pacto secreto, quando se trata do abuso de uma criança.

Em todo caso, tudo o que o senhor diz soa muito estranho para ouvidos analíticos. Pode-se dizer que o senhor está fazendo toda a sorte de afirmações. Como o senhor sabe tudo isso?

Observei isso no trabalho com os clientes. Observei isso nas constelações familiares. Observei, acima de tudo, que simplesmente atacar os agressores tem um efeito terrível.

Portanto um ataque àqueles que foram culpados.

Sim. Porque a criança permanecerá leal ao agressor que é castigado e se castigará também. Se ela não fizer isso, um filho seu poderá fazê-lo mais tarde. Isso acontece freqüentemente ao longo de várias gerações. Tive, certa vez, uma experiência muito singular num seminário para psiquiatras.
Uma psiquiatra disse que tinha uma paciente que sofrera abuso do próprio pai. A psiquiatra estava muito indignada. Eu lhe disse para montar a constelação dessa família e ela assim o fez. Então eu lhe disse para se posicionar, como terapeuta, ao lado da pessoa perto da qual achava certo ela ficar. Aí ela se colocou ao lado da cliente. Todos no sistema ficaram zangados e ninguém demonstrou confiança nela.
Então eu lhe disse: "Agora posicione-se ao lado do pai malvado". Todos no sistema respiraram aliviados e passaram a ter confiança nela.
Através dessa constelação descobri que o terapeuta deve-se ligar ao agressor. Só fazendo isso ele pode restabelecer a ordem para os outros. Assim que o terapeuta se liga à vítima e fica indignado, provoca um efeito negativo em todos os membros do sistema, principalmente na vítima. Esse é o resultado das minhas experiências. Não é que eu ache que deva ser assim. Essas conclusões surgiram das constelações familiares. No entanto, se uma outra pessoa vir ou tiver uma outra experiência que ajude, volto atrás imediatamente. Não quero impor regras de como se deva proceder.

Então, não é um sistema teórico fixo.

De jeito nenhum. Não somente nesse contexto como em outro qualquer. Eu trabalho fenomenologicamente. Isto é, olho para o que ajuda. Também experimento. Quando encontro um caminho, crio uma hipótese. Mas ela muda de caso para caso.

E como o senhor percebe o que ajuda?

Vejo na expressão do rosto. Logo que a solução é encontrada, as fisionomias se iluminam e todos ficam descontraídos. Isso vai contra a expressão muito conhecida: "Não se pode agradar a todos". Na terapia familiar, a solução é aquela que satisfaz a todos os membros da família; quando cada um está no lugar certo, aceita o lugar que lhe cabe e onde deve ficar, ocupando sua posição sem interferir na vida dos outros. Então, todos vêem reconhecida a própria dignidade e se sentem bem. Essa é a solução.

Fim da entrevista de rádio.

Eu me submeto à realidade tal como ela se apresenta

A psicoterapia fenomenológica

Expor-se sem intenção

O senhor afirma que a sua psicoterapia é fenomenológica. Em que tradição o senhor se enquadra?

A fenomenologia é um método filosófico. Para mim a fenomenologia significa: Eu me exponho a um contexto mais amplo sem compreendê-lo. Eu me exponho a esse contexto sem a intenção de ajudar e também sem a intenção de provar algo. Eu me exponho a ele sem medo do que poderá vir à luz. Tampouco tenho medo de que algo assustador venha à tona. Eu me exponho a tudo, assim como se apresenta.

Diante de uma constelação, eu olho para todos, também para os ausentes. Tenho todos na minha frente. E, então, exposto a esse quadro, de repente reconheço o que está por trás do fenômeno.

Por exemplo: De repente, posso ver, numa constelação, que uma criança foi assassinada. É algo que não é visível. Está por trás do fenômeno. Ali se concentra algo que é essencial para o comportamento das pessoas dessa família. O essencial não é visível. Aparece subitamente através da observação dos fenômenos. E vem à luz. Essa é uma abordagem fenomenológica.

Ela não está ligada a nenhuma escola e tampouco pode constituir uma escola, pois não se trata de adotar algo de outra pessoa. Aprende-se aqui apenas a se ajustar aos fenômenos e a se expor a eles, interiormente, livre de intenções e medo. Então cada um de nós vai viver a experiência de uma súbita iluminação.

Entretanto, o olhar requer um certo contexto, sem o qual isso não é possível?

Sim, existe um limite. Olho para a família ou para todos os fenômenos ligados à consciência ou à culpa. A atenção se dirige para esses fenômenos em especial. Ver tudo não é possível. É necessário um contexto.

O amor

Como é que o senhor chegou a isso? A seu ver, como é que tudo aconteceu?

Normalmente, os esclarecimentos vêm depois da experiência. Vou lhe dar um exemplo do que é a fenomenologia.
Antigamente, eu fazia, em meus cursos, exercícios em grupos de seis pessoas. Cinco participantes se sentavam em semicírculo e o sexto se sentava de frente para os outros. Os cinco tinham de contemplar o sexto com a atenção voltada para o quadro todo, contemplando-o com amor, assim como ele era, até que conseguissem captar algo sobre ele. Nesse momento, cada um deles apreendia algo essencial sobre essa pessoa, e lhe comunicava isso. Dessa forma a pessoa que fora contemplada também se transformava diante dos próprios olhos. Isso quer dizer que a percepção não é somente receptiva. Ela cria um campo de energia que tem um efeito externo. Os participantes ficavam extremamente admirados com isso.
Nesse exercício pode-se reconhecer algumas das leis da fenomenologia. A primeira é que preciso amar as pessoas cuja verdade quero conhecer. Aceitá-las seja qual for o destino delas, sua família e seus problemas.
A segunda é a necessidade de um certo distanciamento. Quem se precipita nesse trabalho — e muitos dos que querem ajudar se precipitam — não consegue perceber nada. A grande intimidade que decorre desse tipo de percepção só é possível à distância. Ela não é possível quando se está próximo. Ela não tem intenção pessoal e só leva em conta o que existe e o que surte efeito. Nada mais.

O todo

Sem intenção pessoal, quer dizer, sem projeções, sem sentimentos que aflorem no observador?

A primeira coisa é: sem nenhuma intenção de ajudar. Essa é a primeira purificação.

A segunda seria: sem medo daquilo que possa surgir como uma ameaça para mim. Isso se dá geralmente quando vejo algo fora do comum e comunico o que vejo. Muitas pessoas me acusam por isso.

O meu primeiro impulso seria dizer que, quando alguém olha com amor e sem intenção pessoal, só vêm à tona coisas boas.

Não. Vou lhe dar um exemplo. Há pouco tempo atrás um jovem participava de um curso. A minha imagem era a de que ele não viveria muito tempo. Ele olhava numa direção e subitamente percebi, com clareza, que ele olhava para a morte. Eu o deixei olhar para aquela direção e dizer: "Dê-me um pouco mais de tempo". Dessa maneira ele entrou em contato com forças muito profundas. Mas se eu contar esse caso talvez alguém diga: Hellinger está impelindo o rapaz para a morte. Naturalmente, isso parece muito forte quando simplesmente se escuta ou se lê essa história, mas é apenas um exemplo do que pode surgir e do que devo olhar sem ter medo.

O senhor diz que os participantes do exercício devem olhar com amor. Isso não é coisa para qualquer um. Uns são agressivos, outros têm projeções e assim por diante...

Quando estou diante de alguém que não conheço, é mais fácil olhar essa pessoa com amor. Amar não significa que eu queira alguma coisa dele, mas que eu o aceito tal como ele é. Sem julgamentos.

Quem olha assim as árvores, por exemplo, acha toda árvore bonita, seja ela como for. Não existe outra possibilidade. Isso acontece também com os seres humanos. Isso é o amor: o reconhecimento do que é belo e bom, tal como é.

O efeito

Com essa atitude nos ligamos a forças de percepção totalmente diferentes, com forças que causam um efeito. Como as forças de crescimento, por exemplo. Se a partir desse tipo de percepção chego a uma solução para um cliente, o efeito é imediato. Vê-se como os semblantes se iluminam.
Às vezes não sei exatamente se captei a coisa certa. Então eu faço uma experiência. Se não ocorrer mudanças na fisionomia, tudo o que eu disse foi em vão, mesmo que pareça fazer sentido. Assim que o semblante se ilumina, sei que acertei o alvo. Algo se pôs em movimento. Eu estava em harmonia com as forças positivas naquela pessoa. Ela entra em contato com essas forças e eu não tenho mais nada a fazer.

Os opostos

Por que isso acontece assim? Parece mágica.

Eu quero contar para a senhora sobre um pequeno trecho de um livro de Jacob Steiner*.
Nós concebemos uma coisa somente em oposição a outra. Nossa consciência é totalmente dialética. Mas, na dialética, também aquela de Hegel, a antítese acaba, pelo menos em parte, com a tese, na medida em que revela a sua deficiência. No pensamento estruturado dialeticamente, o perigo é que, ao se conhecer a estrutura, existe, desde o início, o receio de que o pensamento demonstrado se revele relativo. Pensar na possibilidade de que o oposto possa ser verdadeiro diminui a viabilidade da tese. Se eu interpretar o amor como o contrário do ódio e der a ambos o mesmo peso no mundo, então o amor fica relativizado pelo ódio... Para poder ver claramente um deles, somos obrigados a separar um do outro.

Na fenomenologia é diferente. Não se trata de um pensamento dialético. Vejo os opostos como uma unidade, o bom e o mau ou movimentos políticos opostos. Com isso chego a uma afirmação que não permite con-

---

* Jacob Steiner: *Rilkes Duineser Elegien*, Francke Verlag, 2ª edição, 1969, p. 78.

tradição. Quando eu comunico isso, alguns dizem: poderia ser também de outra maneira. Essa é a antítese e ela destrói a tese. Mas a verdadeira antítese seria um novo conhecimento. Se eu, por exemplo, descobri algo sobre uma ordem e outra pessoa encontrar outras ordens e me falar sobre isso, ela acrescenta alguma coisa ao que eu já sei. O novo conhecimento não é uma antítese que acabe com a minha tese; pelo contrário, os dois pontos de vista formam uma síntese sem que exista uma antítese. O destrutivo na antítese, assim como ela costuma ser empregada, origina-se do fato de que a antítese é só imaginada; não está baseada numa nova percepção.

Qual é o impulso que leva à antítese?

A antítese proporciona a ilusão de que posso pensar o que quiser. Toda vez que alguém me apresenta algo novo, posso apresentar uma antítese à sua afirmação, sem me basear na realidade. Isso me dá uma sensação de liberdade. E através da minha antítese posso colocar em dúvida uma outra coisa e aniquilá-la sem ter realizado algo construtivo.

Entretanto, se procedo fenomenologicamente e me exponho a uma realidade assim como ela se apresenta, então renuncio à liberdade de pensar ou querer outra coisa. Eu me submeto à realidade tal como ela se apresenta. Mas na medida em que me submeto, passo a ter liberdade de ação. Quem constrói uma antítese arbitrariamente tem, sem dúvida, a liberdade de imaginar as coisas diferentes do que realmente são. Entretanto, o que é que se que faz com isso?

A liberdade

Isso me inquieta. O seu conceito de liberdade é fundamentalmente diferente daquele do Iluminismo. O senhor diria que o ser humano não é livre, pelo contrário...

A nossa liberdade é limitada. Posso escolher entre vários caminhos diferentes, mas para onde eles me levam, isso é predeterminado. Por exemplo, posso infringir uma ordem básica, mas não tenho poder sobre as conseqüências. Elas são predeterminadas. Liberdade significa aqui reconhecer que não posso esquivar-me das conseqüências do meu comportamento. Se faço isso, tenho a capacidade de agir.

Sem dúvida, posso pensar no que quiser. Mas, depois de ter jogado com todas as possibilidades, quanta energia me resta para poder agir? Se, pelo contrário, procedo fenomenologicamente e, de repente, vejo e identifico o essencial, tenho força e espaço para agir. Dentro desse espaço eu me sinto livre.

Existe uma idéia bastante difundida de que, se alguém sofreu muito tempo por algo errado, isso não pode ter sido errado. Justifica-se o sofrimento em vez de se admitir que já é hora de se despedir dele.

O humano

O senhor pertencia a uma ordem missionária católica e tem sido criticado por ser muito católico e interpretar a Bíblia em sua terapia. Quais foram as conseqüências de ter deixado essa ordem missionária?

Eu superei essa fase. A minha saída não significou um rompimento. Eu não tinha acusações a fazer. Mas, para mim isso é passado. Assim se dá também com a fé. Deixei isso tudo para trás, isso pertence ao meu passado. Em muitos aspectos esse passado tem efeitos positivos sobre a minha pessoa, mas não estou preso a ele.

Eu tenho uma relação de amizade com o nosso pároco e respeito o que ele faz. Imagino um mundo sem paróquias e isso me parece uma enorme perda. Vejo que é algo bom, mas não é algo do qual eu faça parte. Eu apóio, respeitando.

Houve mudança em seu sistema de valores depois que o senhor deixou a ordem e se dedicou à psicoterapia?

Houve. Na psicoterapia tive a oportunidade de ver muitas coisas que me comoveram profundamente. Na Terapia Primal, por exemplo, quando alguém contava algo grave de sua vida, às vezes o terapeuta chorava. Eu ficava impressionado que uma pessoa assim, sem pretensões, somente por compaixão, compartilhasse os sentimentos do outro. Ele simplesmente ficava comovido.

Na África do Sul estudei numa Universidade estatal. Ainda me lembro como ficava admirado que pessoas sem nenhuma ligação com uma crença religiosa pudessem ser tão boas. Antes pensava que uma pessoa só poderia ser boa se pertencesse a alguma crença. Essa crença manteria a pessoa íntegra e serviria como base moral. Mas isso não é verdade. Pelo contrário, tenho conhecido pessoas sem crença ou confissão e que demonstram muito mais compaixão. Aprendi o que significa respeito e dignidade humanas. Não que esteja escrito em algum lugar que a gente deva amar e respeitar o próximo.

Todos nós estamos emaranhados, cada qual a seu modo

O papel da consciência

As suas conclusões não são influenciadas até hoje pela sua origem católica?

Não. Decisivo para mim foi o que descobri sobre a consciência com o auxílio da abordagem fenomenológica.
Perguntei-me durante anos: O que é realmente a consciência? O que significa ser consciencioso e o que acontece com as pessoas que são conscienciosas? O que é que elas provocam: o bem ou o mal?
Observei como a consciência atua. Ela nega o amor àqueles que estão fora do grupo. Isso foi um conhecimento importante para mim. Só é possível amar, honrar e respeitar os que estão de fora do grupo transcendendo a consciência. Isso é importante para o meu trabalho. Esse conhecimento é o resultado de uma observação cuidadosa, não de qualquer ensino ou tradição.

A inocência e a culpa

Como o senhor chegou a essa conclusão?

Observando os efeitos da inocência e da culpa. Observei que a culpa e a inocência são vividas de modo completamente diferente, dependendo do contexto. O modo como são vividas tem a ver com uma consciência bem específica. Observei que a consciência não é nada homogênea; ela tem muitas camadas. Está limitada a uma determinada área, a um determinado grupo de pessoas e tem um importante papel no comportamento humano. Mas não tem nenhuma função superior ou, por assim dizer, divina. Portanto, ela não nos diz o que é bom e o que é ruim em contextos mais amplos.

Quais são as implicações que isso tem em seu trabalho terapêutico?

A primeira coisa que observei foi a existência de um vínculo profundo entre as crianças e suas famílias de origem. A pior coisa que pode acontecer a uma criança é ser excluída da família. Isso é fundamental para ela. A criança vive com a consciência: "A este grupo eu pertenço, a ele quero pertencer e compartilho do destino desta família, seja ele qual for". Por isso a criança faz tudo para pertencer a ela sem egoísmo. Esse amor não é nenhuma estratégia de sobrevivência. A criança estaria disposta a morrer, se achar que isso pode ajudar os outros membros da família. Portanto, esse vínculo é livre de egoísmo e é comandado por um órgão especial de percepção.

A criança sabe instintivamente o que deve fazer ou deixar de fazer para poder pertencer ao grupo familiar. Isso não é um atributo puramente humano; até um cachorro sabe disso instintivamente.

Onde quer que haja vínculos existe automaticamente uma percepção espontânea: "O que é necessário aqui para que eu possa fazer parte desse grupo e o que devo fazer ou deixar de fazer para não perder o direito à pertinência". O órgão de percepção nesse caso é a consciência. Portanto, a pessoa que pertence a vários grupos tem também várias consciências. Podemos dizer também que a mesma consciência reage de maneira diferente dependendo do grupo. Isso já começa no relacionamento com o pai e a mãe. Sei exatamente o que devo fazer para agradar ao meu pai e o que devo fazer para agradar à minha mãe. Eles têm padrões diferentes. Mas isso sempre gira em torno da mesma coisa: "Posso ou não posso pertencer à família". Denomino essa consciência de consciência de vinculação.

Quando a criança vai para a escola e se junta a uma turma ou a um movimento ou a grupos extremistas de direita ou esquerda, comporta-se conscienciosamente em cada grupo. Esses grupos servem a objetivos diferentes com diferentes conteúdos. Mas esses conteúdos não dizem nada sobre a consciência. Existe aqui uma única pergunta: O que devo fazer e o que devo evitar para assegurar a minha pertinência ao sistema? Sentimentos de culpa aqui significam somente que existe um motivo para recear a perda do direito de pertinência. Mais nada.

Ter uma consciência tranqüila significa que não se está sob o risco de perder o direito de pertinência. O anseio de fazer parte do grupo e de ter a consciência tranqüila é a força motriz de nosso comportamento, num nível profundamente humano. Aqui não existe nada de superior ou divino. O grupo decide o que é bom para mim, o que é ser consciencioso e o que é inaceitável.

Qualquer que seja o grupo, religião ou partido político ao qual uma pessoa pertença, os seus membros terão a mesma idéia do que é ser consciencioso e apresentarão os mesmos sentimentos e angústias se infringirem as normas estabelecidas, não importando o quanto sejam diferentes os critérios adotados por esses grupos.

Esse conhecimento abriu-me novos rumos. Passei a observar a consciência mais objetivamente.

O que o senhor descreve significa, num certo sentido, afastar-se do dogma e voltar-se para o indivíduo.

Não é um afastamento. Posso reconhecer os valores das minhas origens, mas eles não são absolutos. Algumas vezes os conservo como uma certa espécie de lealdade para com a minha família. Li, certa vez, que quando Martin Heidegger entrava em uma igreja, pegava água benta e se ajoelhava, embora não pertencesse mais a esse credo. Isso era um reconhecimento das suas raízes. Acho admirável que uma pessoa reconheça as suas raízes sem se justificar por isso.

Em todo grupo existem grandes valores humanos, mesmo que sejam diferentes. Naturalmente, não foi fácil dar esse salto de minha origem católica para esse conhecimento e ver as coisas da forma como as vejo atualmente.

O que mudou?

Nesse sentido, não sou mais tão consciencioso.

O bem

O que significa essa objetividade com relação à consciência?

O bem já não se baseia na consciência. Está localizado além dela. Não se chega ao conhecimento do bem com o auxílio da consciência. Isso é feito através da percepção, da observação e do respeito. Só depois de parar de usar como padrão uma consciência tacanha, consigo ver que cada pessoa está ligada a seu modo, que cada um é bom a seu modo e também emaranhado a seu modo.

O modo como uma pessoa lida com seu emaranhamento é algumas vezes ruim, mas, no final das contas, ela está só emaranhada. Com isso, muitos juízos de valor podem ser abandonados, não por amor, mas por entendimento. Isso faz uma grande diferença. Agora, não vou até lá amar uma pessoa, mas posso deixá-la em paz, respeitá-la e honrá-la, sem interferir. Ao mesmo tempo, quando observo a consciência humana, vejo que o indivíduo é sempre limitado. Assim as minhas exigências com relação aos outros são bem menores. Posso lidar com todos mais serenamente e deixá-los ser como são.

Portanto, é uma coisa impensável, para mim, formar um grupo que defenda um único ponto de vista.

A consciência e o superego

O que o senhor está dizendo significa que não existe somente um, mas muitos superegos.

Sim, exatamente, depende de onde me encontro no momento.

E consciência é a mesma coisa que superego?

Não, não é. O superego pode ser ouvido. Tem a ver com pessoas internalizadas. A consciência vai além disso. Surte um efeito mesmo que você não ouça nada.

Alguns terapeutas corporais dizem que as crianças freqüentemente assumem a postura dos pais. Elas têm dificuldades semelhantes quanto à respiração ou caminham curvadas, com o diafragma bloqueado. Seria, então, o mesmo fenômeno que o senhor descreve como consciência, mas no nível físico.

Exatamente. É o modo de uma pessoa pertencer à família. Ela se comporta do mesmo modo, respira do mesmo modo. Filhos de cegos comportam-se algumas vezes como cegos, embora possam ver. Aqui se vê o quanto o vínculo é profundo.

O senhor diz que o superego atua num nível mais consciente do que a consciência?

A consciência é mais abrangente do que o superego. Quando a pessoa está sob o controle do superego, ela ouve: "Você não deve fazer isso". Quando se trata da consciência, pelo contrário, ela não ouve nada porque já sabe, num nível elementar, o que fazer.

Essa é a consciência de vinculação. O que seria, nesse caso, o sentimento de culpa?

O sentimento de culpa resultante dessa consciência de vinculação é o receio de perder o direito de pertinência. A consciência tranqüila, por outro lado, é sentida como um direito à pertinência.
Nós também chamamos isso de honra. Quando uma pessoa é honrada pelos membros de uma sociedade tem pleno direito à pertinência.

A consciência e o equilíbrio

Existe uma outra experiência de culpa que tem a ver com o equilíbrio entre dar e receber ou entre ganho e perda.
Bem no fundo da alma, existe a necessidade de equilíbrio. Quem recebe algo tem a necessidade de recompensar, na mesma medida em que recebeu. Isso tem uma função social muito importante: possibilita o intercâmbio e a solidariedade. Um grupo mantém-se unido quando todos dão e recebem de modo equilibrado.
Vou dar um exemplo bem simples: Um homem e uma mulher se amam. O homem vem de uma determinada família onde se pode receber algo do outro até um certo ponto e o mesmo é válido para a mulher. Isso é sentido instintivamente. Quando estou com alguém sei exatamente quanto ele consegue receber e quanto pode retribuir. Isso determina o quanto posso lhe dar e o que posso lhe dar. Portanto só posso lhe dar o que ele pode ou quer retribuir. Se um dá mais do que o outro pode suportar, prejudica o relacionamento. Por isso, num relacionamento, a atitude de dar é sempre limitada.

Um outro exemplo. Alguém se casa com um deficiente físico. Ele passa automaticamente à posição daquele que dá mais. Mas o outro ficará zangado se não puder retribuir com algo equivalente. Existe, entretanto, a possibilidade de haver compensação num nível superior. Isso dá certo se a pessoa deficiente reconhece o que o outro lhe dá e diz: "Tudo bem, sei que você me dá mais do que posso retribuir e aceito isso como um presente especial". Se essa discrepância no relacionamento não puder ser corrigida, ele não terá muito futuro. Quando recebo algo de alguém sinto-me culpado com relação a essa pessoa. Não é o mesmo sentimento de culpa que o da consciência de vinculação. A culpa é sentida como obrigação e a inocência, ou consciência tranqüila, como liberdade de qualquer obrigação.

Em que contexto essa observação é válida?

Essa espécie de intercâmbio vivo é limitada a grupos claramente definidos. Meu palpite é de que esse grupo seja de, aproximadamente, 20 pessoas, um grupo limitado. Nesse caso, isso faz sentido. Com relação ao governo não temos esse sentimento. Quando se trata do governo, as pessoas ludibriam mais facilmente, por exemplo, no que se refere aos impostos. Elas não ousariam tirar dinheiro de um amigo dessa maneira.

Quanto mais anônimo o relacionamento, mais fraco passa a ser esse sentimento de "dever algo a alguém".

Exatamente. Só está presente nesse nível limitado. Mas esse limite é muitas vezes ultrapassado de modo prejudicial. Quando, por exemplo, alguém é beneficiado pelo destino, em geral começa a tratá-lo como se ele fosse uma pessoa e tenta retribuir o que recebeu.
Um exemplo: Uma pessoa sobreviveu a um perigo enquanto outros morreram, como os judeus que sobreviveram aos campos de concentração. Muitos deles não tiveram coragem de retomar a vida. Viveram limitados. Pagaram pela sua sobrevivência com uma vida limitada. Sentiram-se culpados por estarem vivos, apesar de os outros estarem mortos. A necessidade de compensação foi deslocada aqui para um nível completamente inadmissível, onde ela se torna absurda.

O Deus "justo"

Fazemos a mesma coisa com Deus. Nesse caso, exigimos um Deus justo e somos virtuosos para agradá-lo. Pagamos para que Ele nos dê algo em troca. O que é válido somente num contexto definido é transferido para esse nível superior. É uma loucura total.

A exigência de que Deus seja justo corresponde às exigências que fazemos ao próximo. Se eu faço algo por Deus, se mostro que me dedico à minha paróquia ou carrego descalço uma cruz até Roma, muitos acham que Ele deve me redimir. Deus é tratado como se tivesse a obrigação de fazer isso.

Entretanto, quando observamos a natureza ou a evolução, vemos que as forças que atuam não são justas. Nossa idéia de justiça é especificamente humana e importante para o nosso convívio. Mas é totalmente inapropriada como princípio cósmico, porque contradiz totalmente a realidade em que vivemos.

O equilíbrio e o amor

De onde provém essa necessidade de equilíbrio?

Não sei de onde provém, mas sem essa necessidade não existiria nenhuma comunidade humana. Foi-nos concedida para que possamos conviver uns com os outros. Nesse contexto tem sentido e deve ser respeitada.

Mas não é nenhum acordo entre os seres humanos. Não é um comportamento que advém do convívio em sociedade.

Não, isso não precisa ser estipulado. É sentido instintivamente.
Observei o que acontece em relacionamentos de casais quando esse princípio não é respeitado. Muitas pessoas pensam que o amor significa: Você tem que me dar e eu próprio não preciso fazer nada em troca. Como o que uma criança sente em relação à mãe. A mãe cuida do filho com total abnegação. Mas essa é uma experiência que tivemos na infância e é completamente inapropriada para um relacionamento entre adultos.

Um relacionamento adulto floresce quando existe a necessidade de equilíbrio combinada com amor. As duas coisas juntas enriquecem o intercâmbio.

O mesmo princípio vale também no sentido negativo.

Quem se considera bom demais para ficar zangado acaba com o relacionamento

Equilíbrio, amor e vingança

Se alguém me maltrata, tenho necessidade de me desforrar. É uma necessidade de vingança. Se ela for satisfeita, o equilíbrio é restaurado. Se alguém comete uma injustiça comigo e eu simplesmente perdôo, fico numa posição superior e o outro não pode fazer mais nada para restabelecer a igualdade entre nós, a não ser ficando mais zangado comigo.

Se a necessidade de equilíbrio no sentido negativo for desrespeitada por razões ideológicas ou religiosas, isso traz conseqüências funestas. É uma infração contra a necessidade de equilíbrio. Mas se exijo do outro algo como uma reparação, o relacionamento pode voltar a ficar em ordem. Preciso, portanto, pagar na mesma moeda ou exigir algo difícil. Entretanto, se o relacionamento deve ser mantido, a minha atitude deve ser um pouco mais misericordiosa do que a do outro. Por amor, dou um pouco mais do que recebi e, quando injustiçado, dou um pouco menos.

Um exemplo: Um homem magoa a mulher, dizendo-lhe talvez algo como: "Você é igualzinha à sua mãe". Se a mulher ficou muito sentida, ela tem de feri-lo também para restaurar o equilíbrio e dizer-lhe algo que o magoe.

Essa é uma lição que muitos não entendem: o equilíbrio precisa ser restaurado tanto no bem quanto no mal. O amor só floresce quando o equilíbrio pode ser restaurado, na medida em que dou ao outro um pouco mais do bem que recebo e um pouco menos do mal. Assim o amor pode ter uma chance também no equilíbrio do negativo.

Um outro exemplo: Na África do Sul, assumi a direção de uma escola, uma grande escola de elite. Os alunos quiseram me testar, uma vez que eu era diretor e ao mesmo tempo pároco. Na Quinta-Feira Santa disseram-me que queriam ir à cidade, pois tinham o dia livre. Eu lhes disse: "Tudo bem, mas vocês têm de estar de volta para a missa". Precisava deles para o coro. Mas todos voltaram somente à noite. Eles me magoaram e, para restaurar a ordem, era preciso que houvesse uma compensação. Nessa escola havia uma espécie de auto-administração do corpo discente. À noite chamei os representantes dos alunos. Primeiro deixei-os sentados e durante quinze minutos não disse uma palavra. Foi a primeira coisa. Depois disse-lhes: "A disciplina foi quebrada. Vocês querem algo de mim e da escola. Se não quiser dar-lhes mais, o que vão fazer? Vocês precisam reconquistar a minha confiança. Portanto, faço-lhes uma proposta: Amanhã de manhã vocês vão reunir todos os alunos e discutir como poderão restaurar a disciplina".

Na manhã seguinte eles se reuniram, discutiram durante quatro horas e vieram com uma proposta. Entretanto, essa proposta não exigia o suficiente deles para equilibrar o que tinham feito. Eu disse a eles: "Não, isso é ridículo, discutam mais uma vez". Discutiram novamente durante quatro horas e me propuseram: "Nas férias trabalharemos um dia inteiro no campo de futebol e o colocaremos em ordem". "De acordo", eu disse. Quando já tinham trabalhado a metade do dia, eu lhes disse: "Já basta". Fui condescendente e nunca mais tive problemas disciplinares.

Tenho de lembrar de colocar isso em prática em minha casa.

Quando uma mãe é rígida demais, ela perde o amor. Ela também precisa ceder. Precisa ir contra os próprios princípios para manter o amor. Mas, se ela não tem princípios, isso também é ruim para as crianças.

Eu diria a mesma coisa.

A maioria das mães faz isso naturalmente. Cede sempre um pouquinho; assim as crianças sentem-se aliviadas.

O dar e o receber, tanto no bem quanto no mal, é válido somente para pequenos grupos?

Sim, nesse contexto, isso incentiva o relacionamento. Quem se considera bom demais para ficar zangado acaba com o relacionamento. Ficar zangado com quem me ofendeu é muito importante para que o relacionamento possa ser retomado. Entretanto, se alguém faz algo muito ruim para uma outra pessoa porque se sente nesse direito, então o mal não tem fim.

Os limites da compensação

Por que isso só vale em grupos pequenos?
Se for aplicado além desses limites, os efeitos são negativos. Isso pode ser visto nas guerras.
Mas nesse caso atua evidentemente o mesmo princípio.
Se ultrapassar o grupo pequeno, esse princípio violará os limites. Por exemplo, se um povo exige de outro uma reparação coletiva, então esse princípio, que é válido entre indivíduos, será transferido a todo um povo. Essa é a causa principal das guerras. A paz somente é alcançada quando, no final, há uma renúncia a essa espécie de compensação. Isso significa aqui que ambas as partes aceitam recomeçar.

Precisamos, portanto, separar rigorosamente o nível sócio-político do familiar-individual e de todos os outros problemas do convívio humano, com os quais o senhor se confronta como terapeuta. Isso significa também que, quando conversamos sobre as suas experiências, baseamo-nos nesse pequeno grupo claramente definido, nesse pequeno grupo de 20 a 30 pessoas, que são, em geral, os parentes e amigos.

Exatamente. A mistura dos níveis leva a mal-entendidos por parte da opinião pública. É difícil para as pessoas restringir essa necessidade de compensação, respeitando os seus limites e restaurando a ordem. A transgressão desses limites, segundo o lema: "O que é bom para mim é bom para todo o mundo" é o que causa mais estragos!

Por um lado poderíamos dizer: O que o senhor descreve é válido para esse âmbito dos relacionamentos e, dentro desses limites, faz sentido e promove a solidariedade e a cooperação. Além desses limites, provoca a desarmonia. Em outras palavras: o ato de fazer o bem ou o mal restringe-se a um determinado contexto e esse deve ser respeitado. No momento em que se pensa que se deve tomar as dores do mundo, o bem se transforma em mal.

Exato. Existe sempre alguém que se sente melhor e mais forte do que os outros. Por isso, muitas missões de organizações assistenciais bem-intencionadas têm, no fim, um efeito completamente inesperado. Eu vejo que existem limites e quero respeitá-los. Quando eu era missionário, também achava que deveria ajudar os "pobres pagãos". Agora sei quando ajudar, como essa ajuda será recebida e como é perigoso quando ela não está em harmonia com os que a recebem. Acima de tudo, percebi o quanto ela é perigosa se não for dada com muito respeito pelo outro.

O senhor mencionou duas espécies de consciência: o dar e o receber e a consciência de vinculação. Existem outras mais?

Existem outras, mas se as enumero há naturalmente o perigo de que as pessoas tomem isso como uma doutrina. Essa é uma área que não posso abarcar por completo. Por isso, mesmo que só alguns aspectos fiquem esclarecidos, isso já é o suficiente para uma orientação. É o suficiente para evitar o mal e inspirar o bem.

O senhor disse: "Evitar o mal e inspirar o bem".

Sim, no sentido de respeitar o fato de que cada um está emaranhado de uma determinada forma. Pode-se dizer também que cada pessoa está a serviço a seu modo. Trata-se de uma visão transcendental e vai além do concreto. Mas sentimos paz, quando enxergamos assim: Aconteça o que acontecer — seja bom ou ruim — isso sempre faz parte de um contexto maior. Assim passamos a aceitar tanto o bem quanto o mal, sem interferir.

Esse ponto de vista traz, naturalmente, conseqüências consideráveis, mas é o mais pacífico que eu conheço.

Portanto, não se trata somente de não querer modificar o mundo, mas de aceitá-lo tal como é.

Exatamente, com amor.

De onde vem esse amor? Ele flui naturalmente?

O amor é uma conquista. Vem do "fazer" e do conhecimento das nossas próprias limitações. Temos limites, tanto no bem como no mal. No fundo esse amor é somente o reconhecimento de que, apesar das diferenças, existe uma profunda comunhão entre os seres humanos.

Surge um amor profundo quando alguém é reconhecido tal como é, e quando se aceita o fato que ele é necessariamente assim. Não pode ser de nenhum outro jeito. Portanto, ele é perfeito do jeito que é. Apesar de ele ser diferente de mim e eu dele, reconhecemos que ambos somos as pessoas certas. Esse é o verdadeiro amor. Não é abraçar alguém ou qualquer coisa do gênero. Isso seria algo só aparente.

No fundo, esse amor está em harmonia com forças profundas e isso tem algo de religioso. Poderíamos dizer que isso é religião: Estar ligado a algo profundo sem querer investigá-lo.

A renúncia

Existe algo que o senhor não queira investigar. É o que o senhor denomina "forças mais profundas"?

Essas são metáforas. Também chamo isso de a "Grande Alma" ou algo misterioso. Mas não é nada que eu tente investigar.

Por que isso não pode ser investigado ou por que o senhor acha que devem existir áreas que devem permanecer sem investigação?

Não vou tão longe. Deixo isso como está. Se eu quisesse ir além, isso não me faria nenhum bem. Assim como respeito e reconheço os outros seres humanos e seu modo de ser, também reconheço o mistério sem ter a necessidade de querer revelá-lo. É precisamente porque mantenho essa distância que estou em contato com ele.

Quem está em harmonia não luta

A predestinação

O senhor diz que a consciência depende do grupo a que pertenço. Entretanto existem situações em que devo confiar em mim mesma, isto é, na minha voz interior?

Existe um sentimento de predestinação pessoal, de vocação ou de missão. Isso toca bem profundamente o cerne da pessoa e está além da consciência. Quem está em harmonia com isso, sente-se em paz.

Quem for contra esse sentimento interior, recusando-se, por exemplo, a aceitar uma tarefa por parecer difícil, despedaça algo na própria alma. Se aceita essa tarefa, fica em harmonia, apesar das dificuldades.

Isso não tem nada a ver com as outras pessoas.

Não. Quem age em harmonia, mesmo que seja contra o que os outros dizem, está bem consigo mesmo. Aqui a ação independe do consentimento dos outros.

Muitas pessoas sentem uma profunda necessidade de ficar em harmonia, de aceitar a si mesmas ou seja lá como se queira chamar isso. No entanto, isso é ao mesmo tempo a coisa mais difícil do mundo.

Isso eu não sei. É um caminho que se apresenta no decorrer da vida. Não é algo que se possa exercitar ou aspirar, nem alcançar através da meditação. Está além disso tudo. Mas pode ser sentido e cada um de nós está em muitos momentos em contato com isso.

Consciente ou inconscientemente?

Eu lhe mostro isso num exemplo bem natural: mãe e filho. Quando a mãe se dedica ao filho, existe um nível em que ela sabe exatamente que agora está em harmonia com algo superior. Ela não vê simplesmente o filho. Aqui os níveis se misturam: Em primeiro plano estão o afeto e o amor e, em segundo plano, algo como um desígnio último. Isso não tem mais relação com o filho, mas tem a ver com a própria pessoa.

Mas em seu efeito está dirigido inteiramente a outros.

É verdade. Dou-lhe um outro exemplo. Quando um casal se casa porque um bebê está a caminho, algumas vezes os pais dizem à criança: "Nós nos casamos porque você ia chegar". Então a criança se sente culpada, principalmente quando os pais são infelizes. No entanto, se os pais disserem: "Nós nos casamos porque queríamos ou porque nos amávamos", então se alcança um metanível. Não tem muito mais a ver com a criança, mas com o homem como pai e a mulher como mãe. As ordens profundas nos tomam a seu serviço nesse nível. É daí que vem a harmonia consigo mesmo. Todavia, essas ordens não são palpáveis, nem podem ser codificadas. Não se pode tratá-las ou cumpri-las do mesmo jeito que se cumpre uma lei.

A simplicidade

É algo que simplesmente acontece.

Acontece. É no fundo uma atitude humana bem simples, nada grandiosa ou sagrada. É algo que fazemos por iniciativa própria quando não somos confundidos por ideologias. Quem está em paz consigo mesmo sabe disso.

O senhor acha que o único problema são as ideologias?

Não, também existem correntes características a certas épocas que dificultam essa atitude e outras que a fomentam.

Mesmo quando a pessoa está em sintonia consigo mesma e age de acordo com seu íntimo, pode estar indo contra os outros.

Ela nunca estará indo contra algo. Pode ser que não encontre aprovação ou respeito. Quem está em harmonia não luta. Aqui não é preciso lutar. A pessoa que está em harmonia, está bem centrada. Ela sente uma profunda paz — não se trata de ficar satisfeito, mas de sentir paz. Isso tem a ver também com o distanciamento, a pessoa está ao mesmo tempo conectada e à distância.

É uma postura espiritual.

Poderíamos denominá-la assim se não fosse uma coisa tão comum. Se isso for buscado como algo espiritual, já desaparece, porque é comum demais. É o mais simples e o mais comum.

A vida plena

No entanto, a coisa mais simples e mais comum é freqüentemente sobreposta e encoberta por toda espécie de carga inútil. O que o senhor está descrevendo me parece bem semelhante ao estado alcançado pelos taoístas e budistas através da meditação.

Isso tem a ver com ações corriqueiras. Se a pessoa busca a realização seguindo um caminho espiritual, na crença de que é especial por causa disso, ela está em desacordo com o mais profundo dentro dela, pois o reduz a algo que ela quer atingir, quando na verdade isso já está tão próximo.

A meditação faz sentido. Não quero contestá-la, isso seria absurdo. Mas ela não confere a ninguém um caráter especial. Quem está em harmonia tem algumas vezes necessidade de se recolher. A meditação flui dessa harmonia. Mas não é o caminho para atingi-la. Pelo contrário, por estar em harmonia, a pessoa às vezes se concentra, se recolhe, mas nesse caso a meditação sempre tem em vista uma ação que leve à plenitude. Por isso, para mim, essa harmonia é mais fácil de ser alcançada através de ações simples.

Ação e harmonia são termos que o senhor usa freqüentemente. O que o senhor quer dizer com isso?

Ações triviais. As ações mais fáceis e profundas ocorrem na família. O pai e a mãe com relação aos filhos e os filhos com relação aos pais. Essas são os atos mais profundos e significativos e são os fundamentos de todo o resto.

Quem está em harmonia com o fato de ser pai, mãe, parceiro ou parceira, filho ou filha, irmão ou irmã e simplesmente assume as tarefas que daí advêm cumpre a sua condição de ser humano. Nessas atividades simples é que o ser humano alcança a plenitude. Aqui ele sente uma harmonia serena com algo maior. Sem alarde, sem dogmas, sem doutrinas, sem exigências morais. Aqui nada disso tem significado.

A grandeza está no trivial

A meditação e os caminhos espirituais

A meditação não é também uma possibilidade de voltar a essa harmonia simples e original, na qual ficamos vazios e com isso livres para voltar a entrar em contato com o estado original?

Meditação pode ser concentrar-se em si mesmo e isso traz força. Concentrar-se significa aqui aceitar a plenitude com o olhar, com os sentimentos e com assentimento. Ficar vazio é exatamente o oposto de se concentrar. Ficando vazio, posso perder o contato com o todo. E é isso o que freqüentemente acontece.

Eu já vi várias pessoas que praticam meditação e, entretanto, nada acontece, porque não existe uma ação em direção a algo maior. Isso tem um efeito limitante.

Para muitas pessoas a meditação tem um grande valor. Não porque queiram alcançar rapidamente a iluminação, correndo de um curso de fim de semana para outro, mas porque é uma possibilidade de aprender a viver de outra maneira. O senhor também já meditou, não é verdade?

Naturalmente. Senão não poderia estar falando assim. Quero dizer somente que o essencial é chegar a um entendimento que permita uma compreensão profunda e, acima de tudo, uma ação positiva. A compreensão que se consegue através da abordagem fenomenológica não é possível através da meditação.

Essa é uma afirmação ousada.

Só posso chegar a essa compreensão através do envolvimento, quando me entrego a um curso de ação que leva à satisfação. Só chego à harmonia quando faço algo trivial. Muitas pessoas que meditam se afastam dessa ação. Querem outra coisa — a iluminação, por exemplo. Mas isso não tem nenhuma ligação com o cotidiano. Quando alguém se entrega à meditação, eu me pergunto: de que essa pessoa de fato precisa?

Às vezes, eu preciso me sentar e me recolher. Normalmente acontece de, algumas horas depois, eu ter de confrontar-me com um caso difícil, que exige toda a minha força ou toda a minha coragem. Reúno forças através da meditação. A meditação é como uma premonição. Se não tenho esse pressentimento, não medito. Quando preciso de força, o meu impulso para meditar é irresistível.

Não quero levantar objeções a outros aspectos. Longe de mim tal idéia. Quando se observa aqueles que praticam meditação, nota-se que muitos lucraram com isso. Mas também vejo que, para outros, ela não surtiu nenhum efeito especial. Eles não se tornaram mais capazes de amar. Não ficaram mais indulgentes nem mais sábios. Eles simplesmente ficaram sentados. Nesses casos, tenho as minhas reservas. E sempre me pergunto: qual o resultado disso?

A meditação não é uma panacéia universal, não é um substituto para a ação, não é um meio de fugir de problemas. É essa a sua opinião?

Exatamente. Na tradição budista, muita gente passa um tempo num mosteiro meditando. Vejo isso mais como uma espécie de escola do que como um modo de viver. Aprende-se algo que pode ser aplicado quando necessário. Isso eu acho bom. Quando alguém ingressa numa ordem religiosa, também passa por esse treinamento. Porém, se eu transformo a meditação num ritual diário, ela perde um pouco do seu valor.

Mas a meditação também pode ser considerada como uma espécie de apoio para a vida.

Pode. Mas nesse caso ela é bem trivial. Não é um grande ato religioso, mas algo muito humano. O mesmo acontece quando um artista se recolhe. Ou quando alguém ouve música — essa seria também uma maneira de se colocar em ordem interiormente.

O esotérico

Qual é a sua crítica ao esoterismo? Se eu digo: Trata-se de uma abordagem espiritual, o senhor responde: "Poderíamos denominá-lo assim caso não fosse tão trivial". Tenho a impressão de que todos esses conceitos lhe parecem exagerados.

Exato. Com isso a pessoa se afasta do trivial. Mas, para mim, o mais profundo é a ação puramente trivial.

Essa ação significa para o senhor: fazer bem o que deve ser feito na vida cotidiana.

Certo. O que enfrentamos num relacionamento, com os filhos, na vida profissional. Essas são ações. Quem sabe lidar com tudo isso exerce uma influência benéfica sobre os outros.

O senhor quer dizer que existem muitas pessoas que colocam em si mesmas um determinado rótulo — seguem um caminho espiritual ou fazem meditação, por exemplo — só para se sentir especiais?

Sim, é isso mesmo. Pois, quando as observo, percebo que muitas são bem "leves". Têm pouco peso quando comparadas a alguém que executa um trabalho duro. Um lavrador, por exemplo, que pela manhã dá forragem ao gado antes de ir trabalhar no campo... — ele não tem muito mais peso em comparação com aquele que diz: "Eu medito!"?

Isso não é muito gentil.

O peso da alma

Mas a pergunta é: o que dá realmente peso ao ser humano? Isso é algo que se pode ver imediatamente na pessoa. As mais dedicadas são aquelas que têm filhos. A alma delas tem também o maior peso específico.

Mesmo que nessas famílias tudo decorra de maneira absolutamente neurótica, doentia e desagradável?

Independe de tudo isso.

...e os pais maltratem os filhos. É tão importante separar esses níveis de relacionamento.

É, mas o simples fato de terem essas crianças, de as aceitarem e tentarem fazer algo positivo — já há tanta grandeza nisso.

Um homem me contou que, na família dele, alguns filhos sempre tinham que estar fora de casa. Eram 15 irmãos e alguns estavam instalados em algum outro lugar, porque a casa era muito pequena. As crianças não tinham problemas com isso. Para elas era normal. Porém, se imaginamos os pais que conseguiram administrar tudo isso apesar da grande pobreza — isso significa grandeza para mim. Enquanto isso, existem outros que querem ser algo especial por meio do esoterismo e da canalização, flutuam ou coisa assim. Em comparação às primeiras, essas pessoas não têm tanto peso.

Dizer isso não é um pouco leviano? Muitas pessoas se voltam para o esoterismo porque têm um destino difícil, doença, morte, etc. e por isso estão à procura de um caminho.

É claro que é diferente quando alguém, após uma doença grave, passa a refletir e encara com serenidade a dor, a morte e a perda. Essa experiência dá profundidade ao ser humano. A dor, a enfermidade, um destino difícil e também uma grave culpa contribuem para o peso específico da alma. Mesmo os delinqüentes muitas vezes têm uma alma de grande peso específico.

Quer dizer que não é uma questão de valor?

Naturalmente que é uma questão de valor. O peso específico da alma é para mim algo valioso. Mas não acho que seja uma coisa que se deva almejar. A pessoa simplesmente tem ou não tem. Qualquer um pode notar.

Na presença de pessoas cuja alma tem um grande peso específico, costumamos nos sentir bem melhor. Existem pessoas que sofreram um destino difícil ou tiveram uma doença grave e então seguem o chamado caminho espiritual. Freqüentemente perdem o seu peso porque seguem esse caminho.

Simplesmente não entendo isso.

Elas já não encaram mais a doença. Dizem: "Deus me salvou". Acham que se elevaram acima da doença. O grande sofrimento fica, por assim dizer, quase anulado e a pessoa deixa de encará-lo. Dessa maneira elas perdem a força que poderiam ter.

O que o senhor quer dizer quando afirma: "O peso específico da alma dá força". Força para quê?

Se alguém diz: "Depois dessa doença, passei a ter fé em Deus", a meu ver a doença foi em vão. Essa pessoa segue um caminho no qual já não encara a gravidade do que aconteceu. Afasta-se da experiência. A enfermidade, o risco, a proximidade da morte já não estão presentes. Em vez disso, ela tem agora uma imagem de Deus que a salvou, ou agradece à Nossa Senhora, ou a qualquer outro ser. Pode-se notar que isso lhe rouba a força.

E não estou questionando essa fé. Isso não tem nada a ver com Deus, com Maria, etc. Só vejo o efeito que isso tem. Quando alguém fala assim de Deus, as outras pessoas tendem a se afastar. Isso é algo que observei em pessoas que escolheram o esoterismo e nem tanto caminho espiritual.

O espiritual

Espiritual ou esotérico. Para o senhor, existe uma diferença entre os dois?

O espiritual é para mim algo positivo, está relacionado com sabedoria espiritual. Ele expande e inclui. O esotérico, pelo contrário, exclui. A pessoa que se dedica ao espiritual não se sente superior, já o adepto do esoterismo, em geral, sim. Isso se deve ao conceito que se faz do esotérico: querem desvendar algo para poder tê-lo nas mãos. Querem ter conhecimentos secretos que os destaquem dos demais. Mas, por estar ocupados com isso, perdem o contato com o curso normal da vida diária.

Então para o senhor o esotérico é negativo quando faz com que a pessoa perca o contato com o terreno e o cotidiano?

É. A pessoa às vezes se nega a fazer o mais imediato. Existe o exemplo de um famoso professor que escreveu muitos livros espiritualistas. Ele tinha um filho ilegítimo com o qual nunca se preocupou. O que significam todos os seus livros, quando se observa isso mais atentamente? O filho morava em Londres, mas ele nunca o viu. A alma dele teria um outro peso se ele tivesse se ocupado com esse filho. Esse é um caso extremo.

Eis outro exemplo: Uma conhecida minha traduziu o livro de um famoso "mestre". Ele morava na Turquia e lá passara a se dedicar ao esoterismo. Pouco tempo antes, ele abandonara a mulher e a filha e nunca mais se preocupou com elas. Que significa aqui todo esse caminho esotérico?

O senhor é tão rigoroso...

Sou mesmo. Para mim isso é demais. Buda fez a mesma coisa. Abandonou mulher e filho para seguir o caminho espiritual. Talvez se tratasse aqui de uma vocação extraordinária. Mas ainda assim sou muito cauteloso. Por outro lado, nesses caminhos existe também algo que atua de maneira abençoada. Falar de Buda de uma forma tão limitante é arrogância. Ele naturalmente desencadeou um movimento gigantesco que teve efeitos muito bons. Mas vejo também que ele teve uma origem bem peculiar.

Deixar uma pessoa é diferente de abandoná-la, não é mesmo?

Tudo bem, mas as pessoas que fazem isso normalmente não alegam que agiram dessa forma porque são especiais. Dizem talvez: "Sou um pobre pecador". Entretanto, se alguém diz que vai seguir um caminho especial e eu vejo que começou essa jornada em circunstâncias como essas, então eu me pergunto o que realmente está acontecendo ali.

O progresso está ligado à culpa

A lealdade e a rebeldia

O que o levou a observar, em especial, a culpa, o sentimento de culpa e a consciência?

Essas são coisas que acontecem constantemente na terapia. E muitas pessoas ainda lutam com essas questões. Aqui torna-se evidente que a necessidade de ser inocente é uma necessidade que se origina na infância. É a necessidade de que seus pais digam: "Você é bom". Uma pessoa assim só vê os pais e não a realidade. Não é mais capaz de diferenciar o que é bom para a vida dela e o que não é, e não consegue se libertar. Se ela se libertar, se sentirá culpada. O progresso sempre está ligado à culpa.

O progresso está ligado à culpa?

Ninguém pode progredir sem se defrontar com a culpa e aceitá-la, isso é inevitável. Um exemplo muito simples: Um filho deixa a família para se casar. Separa-se da família e talvez vá viver com uma companheira que não agrade aos pais. Mas ele a ama. Uma pessoa nessa situação só pode se casar se infringir as normas impostas pelos pais.

Toda criança precisa transgredir proibições para se desenvolver. É assim que se progride. Os pais proíbem algo, porque acham necessário. Mas precisam, ao mesmo tempo, acalentar secretamente a esperança de que a criança transgrida a proibição. Se a criança não transgredir, isso é prejudicial tanto para ela como para os pais. Pais que tudo permitem aos filhos também os prejudicam. A criança, nesse caso, não consegue desenvolver sua força interior. Por isso, esse desenvolvimento só é possível através de transgressões. Cada uma delas leva a um fortalecimento do ego. Ao mesmo tempo, a criança permanece ligada aos pais em um outro nível.

Isso quer dizer que é ruim para a criança ter pais que permitem tudo?
Extremamente ruim. Ela fica desorientada. E, acima de tudo, não consegue fortalecer o seu ego.

O senhor disse que a criança não pensa em si mesma. Até morreria....
Esse é somente um dos níveis. Em outro nível, a criança é muito egoísta. Ela tem que ser para sobreviver. A dificuldade está no fato de que freqüentemente não se percebe a complexidade de suas reações. O que uma criança diz é uma coisa, o que ela realmente deseja é outra. A criança pode parecer rebelde e, ao mesmo tempo, num nível mais profundo, ser leal. Se o observador não olhar a situação de uma certa distância, só verá um dos lados.

Entretanto, existem crianças que só trazem transtornos para a família. Nesse caso, não se pode falar de lealdade ou algo assim. São crianças que se opõem constantemente à família. Quando se diz: as crianças são altruístas e cheias de abnegação, isso dá a entender que as crianças são seres ideais, que estão acima do bem e do mal.

A minha observação é a seguinte: toda criança age por amor. Mesmo quando perturba, ela age por amor. Só é preciso encontrar o ponto onde está o amor. Se o encontramos, o comportamento dela fica absolutamente claro.

Eu dei um curso numa casa para adolescentes problemáticas, para as garotas e os pais delas. Os educadores haviam-me convidado e eu coloquei a constelação familiar das meninas na presença dos pais. Em todas as constelações existia a mesma dinâmica: "É melhor eu desaparecer do que você". Ninguém tinha percebido antes como essas garotas amavam seus pais. Quando isso veio à luz, os educadores e os terapeutas, que tinham tantas dificuldades com essas garotas, ficaram muito emocionados. De repente, entenderam o que essas garotas faziam na realidade e por que se comportavam tão mal.

Pode dar um exemplo?

Por exemplo, algumas são viciadas em drogas. Essa é uma forma de querer morrer, para que o pai ou a mãe não partam.
Uma das garotas havia se atirado do telhado. Na constelação, entretanto, ficou claro que o pai dela queria morrer. Este, por sua vez, queria seguir o pai falecido. Então a garota dizia em seu íntimo: "É melhor eu morrer do que você".
Quando se traz isso à luz, surgem possibilidades de cura. Só é difícil fazer a criança entender isso. Ela sente uma necessidade num nível arcaico e acha que, se carregar toda a carga, o pai será redimido. Essa idéia é bastante difundida entre os cristãos.
Quando essa dinâmica vem à luz, mostra-se à criança que o sofrimento dela não ajuda o outro. Então ela terá que renunciar à idéia de poder que vincula ao seu sofrimento e à sua morte. Terá que viver o seu amor num nível mais elevado, dizendo: "Querido papai, não importa o que você faça, eu fico. Você me deu a vida e eu a tomo e a respeito". Dessa maneira, ela se separa do pai com amor e respeito.
Esse é mais um passo considerável para o fortalecimento do ego. Morrer com a idéia de que isso ajuda alguém é mais fácil.
Por outro lado, é difícil para muitos que querem ajudar deixar alguém à mercê de seu terrível e inevitável destino, sem se aproximar e intervir. A pessoa muitas vezes interfere porque *ela* não consegue se conter, não porque o outro esteja sofrendo. Naturalmente existem também outras dinâmicas.

O senhor monta a constelação e essa dinâmica aparece. As garotas entenderam o que aconteceu?

Algumas entenderam, mas, com relação a duas, tive a impressão de que o destino delas já estava traçado. Nesse caso, não convém continuar intervindo. Eu trouxe algo à luz, mais que isso não devo fazer. Também seria tudo em vão. Se a realidade não ajuda, o que ainda poderia ajudar?

A verdadeira ajuda não vem de outras pessoas, senão da realidade?

Da realidade quando vista. Se a realidade vem à luz, não é mais possível esquivar-se dela. Mesmo aqueles que a evitam, já não são mais tão inocentes. Ficou claro o que estão fazendo. Já não podem mais agir com a mesma inocência de antes.

Isso quer dizer que a colocação da constelação familiar é também uma forma de se despedir da pureza, da inocência.

Exatamente. A maioria das constelações mostra que a pessoa que era considerada ruim ou perturbada, na verdade é boa e motivada por um amor profundo. E muitos que se consideravam melhores, vêem, de repente, que foram eles que desencadearam uma dinâmica negativa. Assim, todos passam a ter uma nova visão. De repente, o inocente tem que se confrontar com os efeitos de sua arrogância e o "culpado" pode ver que tinha boas intenções. Pode aceitar a si mesmo e talvez deixar de lado o seu comportamento negativo.

O ser está além da vida

A morte

As constelações familiares não levam em consideração somente os vivos mas, antes de mais nada, os mortos. Os membros falecidos da família estão sempre presentes?

Todos aqueles dos quais se tenha alguma lembrança, até a geração dos avós — e, às vezes, até a dos bisavós – afetam a família como se estivessem presentes. Principalmente aqueles que foram esquecidos ou excluídos.

Portanto é uma forma empírica de entrar em contato com as almas.

Nas histórias de fantasma, essas almas são seres a quem foi negado o direito de pertinência. Elas batem à porta até recuperarem o lugar que lhes pertence. Quando o ocupam, dão paz. Posso ver isso nas constelações familiares. Quando os excluídos e os temidos ocupam seus lugares, deles emana algo de bom, com poder de cura e que não causa nenhuma perturbação. Ao serem aceitos, eles se retiram. Deixam a família em paz e dão força aos vivos.

Existe a tradição de velar os mortos em casa por alguns dias e chorar por eles, para que possam partir em paz e os vivos, se despedir deles.

Isso não é suficiente. Os zulus fazem o seguinte: O morto é enterrado e depois de um ano é trazido de volta a casa através de um ritual. Os membros da família pegam um galho de árvore e imaginam que o antepassado esteja sentado nesse galho, enquanto ele é trazido para a choupana. Uma parte dela é reservada para o antepassado e ali ele recebe o seu lugar. Ali

onde se guarda a cerveja habitam os antepassados. Sempre que se toma cerveja, dá-se também alguns goles aos antepassados.
Existem rituais semelhantes também em outros lugares. Na Tailândia, por exemplo. Apesar de os tailandeses serem budistas, existe um antigo ritual que, na verdade, contradiz o budismo. Durante a refeição que se segue ao enterro, reserva-se um lugar para o falecido, para que ele também possa estar presente.
Em nossa cultura, quando acendemos uma vela para um morto, ele está presente na vela. Quando o morto tem seu lugar reconhecido, ele é pacífico e transmite uma força positiva.

Isso já não é mais tão comum entre nós.

Como psicoterapeuta, trago de volta os mortos para que eles possam ser reintegrados, numa constelação familiar, por exemplo. Em nossa cultura, muitas pessoas ficam doentes ou perturbadas porque parentes foram excluídos do sistema. Muitas vezes trata-se de pessoas falecidas. Quando as trazemos de volta, os outros ficam livres. Os tailandeses fazem isso através de um ritual e nós, através da psicoterapia. No procedimento e no efeito, não existe grande diferença.

O nosso relacionamento com a morte é, em geral, caracterizado pelo medo.

É, muito medo. Isso tem a ver com o fato de que a vida é vista isoladamente, como um bem pessoal, do qual eu cuido e aproveito tanto quanto for possível. Mas posso ver isso da maneira oposta, como se a vida me tomasse como propriedade dela. Ou como uma força que me traz à vida, me sustenta e finalmente me deixa cair. Essa visão parece-me muito mais próxima da realidade.
Quando a pessoa se submete ao todo, ela sente algo parecido com uma força que a sustenta. Mas é uma força que também traz sofrimento. O que faz o mundo girar não é a nossa felicidade, mas algo muito diferente. Para tanto fomos chamados a serviço. A isso temos que nos submeter. No fim, deixamos a vida para voltar a algo sobre o qual nada sabemos. Tampouco chegamos aqui vindos do nada. Chegamos através dos nossos pais. Neles conflui algo que nos dá a vida e que está integrado a algo maior. Nós já existíamos, senão não poderíamos vir a ser. E, quando morremos, também não desaparecemos. Só não somos visíveis aos olhos dos vivos. Mas desaparecer? Como poderíamos desaparecer?

O ser, essa profundeza que atua por trás de tudo, está para além da vida. A vida, comparada com o ser, é algo curto e transitório.
Dessa perspectiva, uma criança não tem nada a perder se morre cedo. Dizemos: "Pobre criança, morreu tão cedo e o avô chegou aos 90 anos". Bem, quando o avô estiver morto, o que é que o diferencia da criança que morreu um dia depois do nascimento? Ambos caem no esquecimento e nesse ser, que está além de todo entendimento. Ali não existe nenhuma diferença entre os dois.
Rilke imaginava que, se chorássemos por aqueles que morreram cedo, estaríamos prendendo-os, em vez de deixá-los partir. Podemos deixá-los partir, se soubermos que partiremos também.
Uso na terapia uma frase que nos faz ser solidários com os mortos de forma que possamos aceitar a nossa vida sem nos sentirmos superiores a eles. A frase é a seguinte: "Você está morto, eu vou viver um pouco mais. Depois também morrerei". Assim perdemos os mortos de vista e a vida deixa de ser algo de extraordinário, quando comparada à morte.
A vida só é o que ainda me resta pela frente. Não é nem melhor nem pior do que a morte. Mas sei que o todo, para o qual tudo conflui, está além da vida.

Mas também além da morte. Visto dessa forma, a vida e a morte são somente duas formas de existência.

São dois reinos que influenciam um ao outro. Por isso, os mortos influenciam a nossa vida. E nós, também, talvez influenciemos a vida deles, deixando-os partir, por exemplo.

Essa é uma idéia arcaica.

O céu e a terra

É uma idéia tipicamente humana, não importa como as pessoas se refiram a ela. Algumas dizem céu, outras dizem Nirvana, e outras dizem: "Não sabemos". Não importa qual seja a denominação. O essencial é esse movimento interior. É olhar a vida como algo transitório.
Alguns pensam que, por isso, pode-se negligenciar o presente. Então eles olham mais para o céu. Outros acham que só poderão ir para lá se re-

nunciarem ao mundano, como fazem os ascetas. Acham que, só se castigando ou meditando, chegarão ao Nirvana. Assim, o presente é considerado um obstáculo para o que vem depois.

Essa é uma idéia estranha. Pois o presente já contém o que virá. Se eu estiver em paz comigo mesmo, estarei ligado tanto a um quanto ao outro.

Uma vez escrevi um aforismo, que alguns consideram difícil de entender. "O verdadeiro caminho não leva a lugar nenhum". Se fico parado, estou no caminho certo. Não tenho que ir a lugar nenhum. Já estou unido a tudo e participo de toda a riqueza, estando recolhido em mim mesmo, levando a sério e cumprindo sem grandes pretensões o que está diante de mim.

O dia-a-dia como um exercício?

Vê-lo como um exercício já é ir longe demais. Só tenho que viver.

O que significa "só viver"? A nossa vida, sem dúvida, está centrada no nosso cotidiano aqui na Terra, mas certamente não no momento presente. As pessoas vivem correndo, sempre em busca, tentando ganhar, fazer e viver o máximo possível. Porque depois tudo acaba. Em vista desse estilo de vida tumultuado, febril, voltado para fora e para o futuro, simplesmente ficar parado e dizer "Não preciso sair em busca de nada, pois já está tudo aqui" é uma atitude que precisa ser exercitada. Não é por acaso que floresce entre nós um gigantesco mercado de atividades de lazer, para o qual existe, sem dúvida, uma grande demanda.

Existem tradições que podem ajudar nesse caso. Assim como ir à escola para aprender com alguém que já sabe mais do que eu. Mas existe também, na área espiritual, uma espécie de exercício que é mais dinâmico, projetado para se alcançar algo. Existem exercícios duros desse tipo. Na essência, eles não se diferenciam de modo nenhum desse outro tipo de agitação.

O senhor quer dizer que existe esse desejo de agir também no campo da espiritualidade?

Existe. Muitas das práticas da Nova Era me parecem *fast food* espiritual. Assim como se fosse possível assimilar rapidamente uma determinada atitude, sem grande preparação. Entretanto, estamos falando de um processo de crescimento. Não encontramos a sabedoria só porque a procuramos; ela desabrocha como resultado de muitas ações. De repente, aí está. Com toda a facilidade e sem esforço.

Tocar a grandeza na alma

Como encontrar soluções

As constelações familiares têm algo a ver com um ritual.

As soluções têm algo a ver com um ritual, não as constelações em si.

Até a ordem de todo o processo me parece um ritual. Há um grande círculo, a pessoa entra nesse círculo, o senhor faz perguntas sobre a família dela, ela coloca a constelação familiar e se senta. O senhor interroga os representantes, os muda de lugar e, então, dependendo das circunstâncias, são formuladas, no fim, frases que libertam. Existe uma clara dramaturgia, uma seqüência que sempre se repete.

O conceito de ritual coloca esse trabalho num outro contexto. O trabalho com constelações familiares é um método. Eu só posso construir uma casa colocando uma pedra em cima da outra. E nem por isso se trata de um ritual.

Por que o senhor não gosta de chamá-lo de ritual?

O ritual tem um fundo religioso, as constelações familiares não. A solução talvez tenha algo a ver com um ritual. Mas o trabalho com constelações é apenas um método.

Uma vez eu lhe perguntei por que, afinal, essas constelações familiares funcionam. Ali se encontram pessoas absolutamente desconhecidas, que não têm a mínima idéia da biografia do cliente com o qual o senhor está trabalhando. Como essas pessoas podem sentir o mesmo que os membros da família de origem do cliente? Nessa ocasião, o senhor disse que, naturalmente, não era o representante que atuava e sentia. O representante era somente o receptáculo, através do qual o cliente encontrava um novo acesso à sua origem.

Visto assim, existe algo de um ritual.

E o ritual não começa no momento em que as pessoas passam a personificar, na verdade, um aspecto da natureza humana? As pessoas recebem, através daquele que as escolhe, a capacidade de personificar algo sobre o qual nada sabem. E elas conseguem fazer isso intuitivamente porque também são seres humanos, não é verdade?

A profundeza

É. A pergunta é: Como isso é possível? Existe uma profundeza para a qual tudo conflui. Ela fica fora do tempo. Eu vejo a vida como uma pirâmide. Lá em cima, bem na ponta, acontece aquilo que chamamos de progresso. Nas profundezas o futuro e o passado são idênticos. Ali só existe espaço, não existe tempo. Às vezes, existem situações nas quais se entra em contato com essa profundeza. Nesses momentos pode-se reconhecer, por exemplo, ordens, ordens ocultas, e consegue-se tocar a grandeza da alma.

E essas ordens se repetem no espaço-tempo e podem ser reconhecidas e representadas mesmo em outra época e em outro lugar?

O espaço

Sim, podem. Talvez o conceito dos fractais possa esclarecer o que acontece. Em seu livro *Aus dem Nichts*[1], Gerd Binnig, ganhador do Prêmio Nobel, defende a tese de que, antes da evolução da matéria e do espírito, deve ter ocorrido a evolução do espaço. O espaço se ordena simetricamente e essa ordem se repete indefinidamente da mesma maneira. A folha, por exemplo, é construída como a árvore inteira. Cada folha é diferente, entretanto, segue a mesma ordem.

Quando monto a constelação de uma família, cada pessoa que ali se encontra pode sentir exatamente o que se passa nessa família, apesar de os

---

[1] Gerd Binnig: *Aus dem Nichts*. Serie Piper, 1992, p. 143 ss.

membros verdadeiros se encontrarem bem longe dali. A ordem dessa família repete-se nessa constelação. Através da constelação tenho, repentinamente, acesso a uma realidade que não consigo perceber por meio do pensamento. Algo que estivera oculto vem à luz. Uma vez à vista posso tentar encontrar uma solução.
Mas, assim como a família verdadeira está presente nessa constelação, a solução encontrada para a família que a representa também afeta a família de verdade; mesmo que esta não saiba nada sobre a primeira.

Por que existe essa conexão no espaço?

Isso não posso explicar. Mas vou dar um exemplo. Uma jovem tinha tentado se suicidar e sobreviveu. Montamos a constelação da família dela e vimos que, na verdade, quem queria se matar era a mãe dessa jovem. O avô materno tinha se suicidado, atirando-se num rio.

O senhor quer dizer que a jovem tinha tentado se suicidar no lugar da mãe, que na verdade queria seguir o próprio pai?

Isso mesmo. Nós incluímos esse avô na constelação e o colocamos junto à mãe da jovem. A solução encontrada foi: a mãe se recostaria no pai dela e diria à filha: "Eu fico".
O pai da cliente havia acompanhado a filha a esse curso e estava presente na sala. A mãe estava em casa, na Alemanha. A constelação foi formada num domingo de manhã, na Suíça. Nesse domingo, ao mesmo tempo que a constelação estava sendo formada na Suíça, a mãe saiu de casa, para passear com o cachorro. No caminho, ela passava pela ponte que cruzava o rio no qual o pai dela tinha se afogado. Toda vez que ela chegava a essa ponte, parava junto ao peitoril esquerdo e olhava rio acima, para o lugar em que o pai havia se afogado, fazendo uma prece. Nesse domingo de manhã, ela estava sobre a ponte, pronta para rezar. Mas, nesse momento, sentiu como se fosse puxada pelo ombro e levada para o outro lado da ponte. Ali ela de repente sentiu uma grande felicidade, que não podia explicar. A cabeça dela se voltou rio abaixo e, subitamente, ela teve a sensação: agora posso me entregar às correntes da vida. Antes, ela sempre ameaçara a família com intenções de suicídio. Isso nunca mais aconteceu.
Houve uma ação à distância, sem que a mãe soubesse o que estava acontecendo na constelação familiar. As constelações, portanto, repercutem

dentro da família, mesmo que não se saiba nada sobre elas. São conexões misteriosas.

O contrário também acontece; na constelação familiar, certos fatos podem vir à tona mesmo que a família esteja muito longe dali. Isso não acontece só quando um membro da família coloca a constelação. O terapeuta também pode montar a constelação familiar do cliente, sem que o membro da família esteja presente.

Eis um outro exemplo: Uma vez li numa revista sobre o caso de uma jovem esquizofrênica. No artigo, levantava-se a hipótese de que as psicoses podem ser causadas por segredos de família. Quando li esse artigo, eu tive a impressão de que a jovem ficara esquizofrênica porque dois membros de sua família tinham morrido cedo. Pedi a Gunthard Weber que montasse essa constelação familiar num grupo. Ele não conhecia a família e o grupo não sabia de que família se tratava. Na constelação, a mulher que representava a jovem esquizofrênica logo se sentiu como se fosse louca. Estava totalmente confusa. Em seguida, incluímos os dois membros que considerávamos importantes. Um deles era a irmã da mãe da jovem esquizofrênica, falecida precocemente. O outro era uma criança, uma irmã da paciente, que também havia morrido cedo. Logo que as duas foram colocadas, a representante da paciente sentiu como se recuperasse a sanidade.

Isso parece mágica. Ou como um exemplo dos campos morfogenéticos de Rupert Sheldrake. Pode-se explicar o efeito das constelações familiares dessa maneira? *

Na verdade, essas teorias não me interessam em absoluto. Eu *vejo* que essas coisas acontecem. Explicações posteriores não contribuem para o

---

* A teoria dos campos morfogenéticos é da autoria do biólogo inglês Rupert Sheldrake. Segundo ele, além da herança genética, ocorre uma transmissão de informações também através de campos mórficos. Nesses campos, existe uma espécie de memória coletiva da espécie a que se pertence. Essa memória é enriquecida por meio de cada indivíduo dessa espécie. Por outro lado, cada indivíduo está "ligado" a essa memória. De acordo com Sheldrake, existem tanto campos mórficos como campos eletromagnéticos. Um exemplo: Em Southhampton, uma variedade de pássaro chamada chapim descobriu o leite como alimento. As aves arrancavam a tampa com o bico e tomavam o leite até onde o bico alcançava. Com o decorrer dos anos, os chapins de outras localidades começaram a tomar leite dessa maneira. Durante a guerra, houve escassez de leite. Entretanto, os chapins do pósguerra, que não poderiam ter aprendido isso com seus ascendentes, recomeçaram imediatamente a tomar leite dessa maneira. Com isso, Sheldrake quis mostrar que as habilidades são herdadas através do campo morfogenético de uma espécie, ou seja, através dessa memória coletiva.

trabalho prático. Muitas pessoas querem uma explicação de como isso é possível. Não preciso dessas explicações para poder trabalhar.

Mas estávamos tratando de outra coisa. Estávamos falando das constelações familiares como um ritual. A imagem que eu faço é a seguinte: Se cada pessoa tiver raízes que se estendem até o centro da terra, então cada um estará em contato com a própria condição humana e, por isso, essa pessoa pode ter sentimentos que não são seus. Eles surgiriam, por assim dizer, dessa origem comum.

Isso vai longe demais para mim. Eu vejo a coisa mais na superfície. A família é composta de várias pessoas, que estão relacionadas no espaço de um determinado modo. Quando alguém monta a constelação familiar, transmite uma imagem espacial do que ocorre na família. Se ele a monta corretamente, aqueles que atuam como representantes deixam de pertencer, momentaneamente, ao próprio sistema familiar, para passar a pertencer ao outro. Assim eles conseguem apreender com exatidão o que se passa nesse sistema.

Muitas vezes é possível dizer, de antemão, se alguém dispôs constelação familiar de maneira correta ou não.

O senhor consegue fazer isso?

Na mesma hora. Pouco tempo atrás, uma mulher montou a sua constelação familiar. Eu disse a ela: "Você não montou corretamente. Já montou alguma vez a sua constelação?" Ela respondeu que sim e eu perguntei: "E montou assim como fez agora?" Ela tornou a responder que sim. Então pedi-lhe que se concentrasse bem e montasse a constelação outra vez. Aí ela a colocou de maneira totalmente diferente.

Como é que o senhor pode avaliar e dizer simplesmente: "Esta constelação não está montada da forma correta?"

Porque vejo o sistema. Quando a pessoa fala sobre si mesma, formo uma certa imagem, se bem que não muito clara, do sistema dela. Se existe alguma divergência, noto imediatamente. É como ouvir uma nota desafinada.

Seria algo semelhante a ver a aura das pessoas. O senhor capta a aura sistêmica, por assim dizer?

Eu não diria isso. Quando trabalho com alguém já não estou no meu "eu", já não penso. Penetro na minha alma e tenho, então, uma sensação aproximada: o sistema está em harmonia ou não. Não é uma imagem nítida, ela nunca é completamente clara. Mas é suficiente para começar.

Isso tem algo a ver com o ato de olhar, não com o de observar?

A amplidão

Uma vez demonstrei com um movimento a diferença entre o "eu" e o "próprio ser". Eu chego ao "eu" movimentando as mãos de baixo para cima e de fora para dentro, até que se toquem. Ao "próprio ser", chego através do movimento contrário, de cima para a amplidão abaixo.

A figura a seguir ilustra esse movimento:

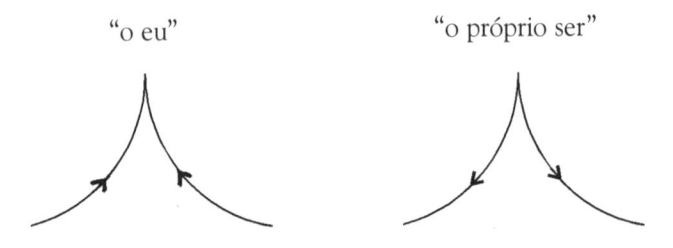

"o eu"   "o próprio ser"

De acordo com esse movimento, eu diria que observar é focalizar um ponto. Perceber, por outro lado, é olhar para todo o espaço em volta.

Exatamente. Quando focalizo, vejo os detalhes mas não posso ver o todo. Um pesquisador que olha para uma árvore como pesquisador não pode ver a árvore como uma árvore. Ele vê somente os detalhes. Um pintor, entretanto, vê o todo, ou um poeta. É assim que trabalho com as pessoas sistemicamente. Eu não olho para o indivíduo, mas o vejo inserido num sistema de referência.

Alguns dizem que o senhor parece um pastor quando fala. Isso tem a ver com essa maneira de olhar?

Talvez. Certa vez uma mulher me escreveu: "O senhor não fala para o ego, mas para a alma".

A alma está em contato com algo mais amplo. Por isso que, repentinamente, percebo onde está a solução e vejo conexões que não teria sido capaz de deduzir.

Notei, por exemplo, que o homem que usa barba geralmente tem uma mãe que não respeita o pai dele e se sente superior a ele. E o mesmo se dava com o pai do pai. Ou a pessoa que demonstra gostar da história do *Hans im Glück** freqüentemente tem um avô que perdeu a fortuna. Ou pode também existir a dinâmica: "Melhor eu do que você" ou "Eu sigo você na morte".

Voltemos novamente à questão do ritual. A sua terapia é bastante bem definida, na maneira como ela é conduzida até nas 30 frases padrão utilizadas para a solução.

Todas elas são frases individuais. Quando trabalho com elas, eu as vario. Se a pessoa simplesmente pronunciar essas frases, não entrará em contato. Por isso, a terapia não é um ritual, no qual tudo decorre sempre do mesmo jeito. É um ritual adaptado a uma situação específica. Trata-se somente de saber: ajuda ou não? Qual é a palavra que convém ou não neste caso? E isso eu examino em cada caso.

Uma constelação é diferente da outra. Não existem duas constelações iguais. Esse ritual se origina daquilo que está acontecendo no momento. Não pode ser repetido.

Uma vez o senhor disse: "O que a pessoa conta a um terapeuta serve como defesa". Quanto um terapeuta precisa saber sobre o cliente?

A concentração

Por exemplo, na terapia, não preciso saber como são os pais. Se alguém me fala sobre eles, cria-se uma rede de imagens e interpretações à minha volta que impede que eu tenha uma simples visão dos mesmos. Eu só

---

* *Hans im Glück* (João Felizardo). Conto dos Irmãos Grimm no qual um jovem volta para casa trazendo a quantia que havia economizado em sete anos de trabalho. Pelo caminho, faz despreocupadamente uma série de trocas, todas que só o deixam em desvantagem e chega em casa com as mãos abanando, mas ainda feliz.

quero saber dos acontecimentos, tais como: são casados, há irmãos, alguém morreu, alguém foi excluído? Além disso, preciso saber se houve doenças ou acidentes. E também se o pai era, por exemplo, alcoólatra. O que é também uma doença. Não necessito mais do que isso.

Para o trabalho sistêmico isso é suficiente. O senhor diria que, de maneira geral, isso vale para todos os casos? Seria, portanto, um tipo não-individualizado de terapia. A sua terapia não é feita sob medida para uma determinada pessoa, pois o senhor pergunta por acontecimentos que poderiam ter sucedido com qualquer pessoa. Numa constelação familiar, só é individual a maneira como o cliente vê o próprio sistema.

Essa é justamente a parte que não é individual. Se o cliente montasse a sua constelação de acordo com a imagem criada por ele, seria individual. Mas eu exijo que ele se concentre bem e que deixe a imagem emergir à medida que monta a constelação. Não se trata então de uma imagem criada por ele, mas de uma imagem que repentinamente vem à luz, partindo do inconsciente dele. Até ele se surpreende com o resultado.

Mas o inconsciente também não é algo individual? Ou para o senhor somente o ego tem individualidade?

Certamente que esse inconsciente não é individual. O cliente percebe algo que é válido também fora dele mesmo. Se um outro membro da família montasse a constelação com concentração, a imagem final não apresentaria grandes diferenças.
Há pouco tempo, pude observar um exemplo. Um homem montou o seu sistema. Em seguida, a mulher dele montou o sistema de maneira totalmente diferente. Os sentimentos dos representantes, entretanto, eram exatamente os mesmos nas duas constelações. Naturalmente podem existir distorções nas constelações. Quando duas pessoas colocam o mesmo sistema, pode-se distinguir imediatamente qual dos dois está mais próximo da realidade e qual deles distorceu a imagem devido a um propósito ou desejo pessoal. Mas a precisão dos detalhes não é o que importa aqui.

Nas constelações, não existe nada de individual?

Existe uma diferença quando alguém diz: "Agora vou montar a minha constelação familiar", como se tivesse uma imagem preconcebida dela, e quando faz isso em harmonia com a alma. No primeiro caso, é o cliente que age. No segundo caso, é conduzido pela alma. A alma vai além do indivíduo, ela tem um alcance mais amplo.

Alguns dizem: "Hellinger não olha para o indivíduo, não o vê, ele não quer saber dos problemas específicos de cada um". Nas constelações familiares, as pessoas não são todas avaliadas segundo um mesmo padrão, de acordo com as mesmas ordens preestabelecidas?

Quando alguém me conta um problema, dá uma interpretação de si mesmo, da família e da situação que está vivendo. Rigorosamente falando, ele me convida a aceitar o ponto de vista dele. Descreve os seus problemas para que eu procure uma solução que corresponda exatamente à descrição que ele fez dos problemas. Assim ele, logo de início, me restringe. No fundo, ele não precisa de mim. Quer me transformar num cúmplice daquilo que considera ser a solução. Isso eu não permito. Eu me reservo a liberdade de olhar tudo por mim mesmo.

O cliente vê o que vem à tona na constelação, independente de como tenha visto a sua situação até o momento. Ele é que monta a constelação, não eu. De repente, emergem coisas que não foram absolutamente mencionadas na descrição que ele fez.

E nos outros métodos terapêuticos, diferentes das constelações familiares? Por exemplo, na gestalt-terapia, em que o indivíduo tem uma grande importância. Não é uma visão muito simplista dizer que o cliente obriga o terapeuta a aceitar a sua maneira de ver? Naturalmente fala-se muito durante as terapias, mas, no fundo, sempre se trata de aprender a sentir em vez de pensar, experimentar em vez de teorizar. A sua afirmação: "O que o cliente conta serve como defesa", vale para todos os casos?

Isso foi dito de maneira muito provocativa. Naturalmente, essa afimação não se aplica a esse caso. O cliente vem porque precisa de ajuda. Entretanto, muitas vezes ele vem porque precisa de confirmação. Nesse caso, não olho diretamente para o cliente, não olho realmente para ele. Olho para a família dele e para a situação que o fez chegar onde está. Quando tenho grandes dificuldades com alguém, eu imagino essa pessoa com quatro anos de idade e me pergunto: "O que aconteceu naquela época que fez com que ela ficasse assim?" Então tenho uma imagem totalmente diferente dessa pessoa e fico mais próximo do que é essencial do que ficaria se tivesse escutado o que ela me diz.

Eu não estou interessado em julgar o que os outros fazem. Descrevo apenas o que descobri ser útil para o meu tipo de trabalho. Na realidade, não me preocupo com o que os outros fazem.

Parece uma provocação quando o senhor diz que não olha diretamente para o cliente. Eu imagino a mim mesma procurando-o, na condição de cliente, sabendo que o senhor não vai olhar diretamente para mim. Ele nem sequer quer me ver...

Quando vejo alguém no contexto da família, com o pai, a mãe, os irmãos e os mortos, apreendo muito mais sobre ele, muito, muito mais. Olho para algo maior e vejo o cliente de maneira muito mais abrangente.

Quando diz que não olha diretamente o cliente, o senhor quer dizer que não se deixa influenciar pela loquacidade dele? Por informações como: "Meu pai sempre exigiu isto e aquilo, minha mãe tinha crises de depressão e não me amava... Eu sofria porque meu irmão sempre foi o filho predileto..."

Eu nunca teria parado para ouvir tantas frases. Isso me causa verdadeira dor física. Eu já teria interrompido antes. Oriento-me pelo meu bem-estar. O que me causa dor não pode ser relevante. Isso para expressar-me de maneira bem provocativa.

Essa postura me parece quase uma arrogância.

Quando trabalho num grupo, verifico que os outros sentem-se assim também. Não é um critério que uso só para mim. Quando alguém começa a fazer esse tipo de reclamação, o grupo todo fica inquieto. Começam a bocejar, a se espreguiçar ou a conversar. Eles também se sentem mal e passam a se comportar de modo defensivo. O meu comportamento não é, portanto, algo arbitrário.

As ordens são descobertas

Experiência, liberdade e ideologia

O senhor tem um conceito bem especial de ordem, que freqüentemente é malcompreendido. Parece uma regulamentação, como normas fixas que limitam a autonomia do indivíduo; não passa a impressão de liberdade. Tem um tom muito patriarcal. O que é que o senhor quer dizer quando fala de ordens?

Quando a ordem é restaurada, isso gera um sentimento de alívio, de paz, de possibilidades de fazer algo em conjunto. Esse é o significado da frase simples: "Tudo ficará em ordem". Repentinamente, tem-se uma sensação de alívio. Essas ordens são descobertas, não impostas. Eu as encontro através das constelações familiares.

O direito de pertinência

O senhor poderia dar exemplos dessas ordens? Essas ordens funcionam de acordo com determinadas regras?

Sim quando se trabalha muito com constelações familiares, pode-se ver o que faz com que as coisas fiquem em ordem. Por exemplo, percebe-se que cada membro da família tem o mesmo direito de pertinência. Essa é uma ordem básica: aqueles que pertencem a um sistema têm o direito de pertencer a esse sistema e têm o mesmo direito que todos os outros. Essa é uma ordem muito bela. A partir dela só podem advir coisas boas, por assim dizer. Quando falo dessa ordem, não me refiro a algo que é preconizado em alguma parte, como, por exemplo, no cristianismo. Pois essa ordem não é ali preconizada. Só falo disso porque ela mostrou sua existência e eficácia nas constelações familiares. Se ela é respeitada, origina-se o bem. Todos podem testá-la e comprovar isso pessoalmente. Quando essas ordens não são respeitadas, as pessoas entram em crise ou adoecem.

Vou lhe dar um exemplo. Se numa família havia um homossexual que tinha sido desprezado e excluído e ele recebe de volta o seu lugar de direito, todos se sentem aliviados. Se ele permanece excluído, será mais tarde imitado por um outro membro do sistema, sem que este se dê conta. Essa ordem atua, independentemente de ser conhecida ou reconhecida por nós.

Como resultado dessas observações empíricas, o senhor passou a crer que existe algo como regras de comportamento?

Existem tipos de comportamento e atitudes que estão de acordo com a ordem e outros que a perturbam. O objetivo da terapia é corrigir algo que está fora de ordem.

Por exemplo, quando uma mulher morre de parto ou quando vários membros de uma família morreram precocemente, isso causa medo. Talvez não se queira olhar para esses mortos ou talvez se queira esquecê-los. Moralmente, ninguém é culpado ou ruim por isso. Entretanto, isso tem um efeito negativo. Pode-se constatar isso quando se monta a constelação dessa família. Mas, quando se reverencia os mortos, dando a eles um lugar de honra, vê-se o efeito positivo que isso exerce na família.

O direito de cumprir o próprio destino

Segundo essas ordens, cada pessoa também tem de se encarregar do próprio destino. Se, por exemplo, numa família, o pai ou a mãe quer morrer para seguir algum dos irmãos ou irmãs falecidos, os filhos têm o impulso de se interpor no caminho deles e morrer em seu lugar. Entretanto, isso é uma violação da ordem. Os filhos arrogam-se algo que não lhes compete. Apesar de não se poder considerá-los culpados por isso, pois são movidos pelo amor, isso traz graves conseqüências para todos. A ordem desse sistema só é restaurada quando os filhos deixam o pai ou a mãe partir, mesmo que isso lhes seja muito difícil. É uma questão de deferência e respeito. Entretanto, é mais provável que os pais fiquem quando ninguém tenta detê-los ou se interpõe no caminho deles.

A ordem de precedência

Outras ordens têm a ver com a ordem de precedência. Por exemplo, os pais têm precedência com relação aos filhos e o relacionamento deles como casal tem precedência com relação à paternidade.

O que significa isso, que os pais vêm antes dos filhos?

Os pais precisam exigir dos filhos o primeiro lugar. Assim os filhos sentem que tudo está em ordem. Quando os pais tentam se igualar aos filhos, através de camaradagem, por exemplo, ou não fazendo valer sua superioridade e precedência, isso pode ter efeitos negativos sobre os filhos. Eles se sentem inseguros e sem liberdade.

A ordem também determina que certos atos têm conseqüências que não é possível reverter. Muitas pessoas acham que os atos negativos podem ser anulados através da terapia, por exemplo. Quando se trabalha com pessoas muito doentes, pode-se ver que existem ações que são irreversíveis. A ordem determina, então, que é preciso confiar na coragem da pessoa de aceitar as conseqüências de seus atos. Se ela aceita as conseqüências, passa a ter, por isso, uma dignidade especial, que antes não tinha.

Que atos nocivos são esses que não podem ser remediados?

Um aborto provocado, por exemplo, ou quando alguém colocou o pai na cadeia. Resta para essa pessoa somente enfrentar a culpa e as suas conseqüências. Às vezes vejo pela reação de um cliente que existe algo que não pode ser remediado. O fato, por exemplo, de ele preferir morrer do que honrar o pai ou a mãe. Então eu lhe digo isso, não subentendendo que seria impossível restabelecer a ordem, mas como medida terapêutica. Eu o faço ver a gravidade da situação, na esperança de que ele reaja a isso.

Isso parece muito duro.

Parece. Mas qualquer outra medida significaria fechar os olhos e se recusar a ver o que está acontecendo. Então eu e o cliente distorceríamos a realidade, tornando-a mais agradável em vez de encará-la. Mas as mudanças só são possíveis quando se encara a realidade.

Pode-se sempre confiar no amor

A terapia e a família

Qual a sua posição como terapeuta nessa sociedade laica, em que os sacerdotes estão perdendo a autoridade e o papel que têm como pastores de almas?

Para mim é importante ajudar as pessoas a resolver conflitos e colocá-las em contato com o poder de cura de sua família. No fundo, isso não é só terapia, é um trabalho a serviço da reconciliação. Nesse sentido, também sou "assistente de almas". E me sinto como um professor. Terapeuta é um termo que não significa muito para mim.

Por que o termo terapeuta não significa muito para o senhor? O senhor conhece, por experiência própria, o campo do pastor de almas e o campo do terapeuta, porque o senhor foi formado por terapeutas e deles recebeu terapia. E agora o senhor está entre esses dois grupos?

Para mim, o termo terapeuta está ligado à idéia de "fazer algo" — tratar algo e ter isso sob controle. No meu entender, o destino e as forças que estão em ação são muito poderosos para que eu possa me considerar capaz de intervir e fazer realmente alguma coisa a respeito.

Posso entender essa aversão contra o "fazer algo", no que se refere à psicoterapia tradicional. Entretanto, existe uma série de outras escolas terapêuticas que se consideram não donas da ação, pelo menos parteiras para a cura de feridas, e oferecem um espaço no qual as pessoas possam se curar.

Mesmo isso vai longe demais para mim. Na verdade, me alio aos pais ou às pessoas que sofreram injustiças e as coloco no jogo. A cura parte deles, não de mim. E eu me coloco contra aqueles que se infiltram, sobrecarre-

gam o sistema e o transtornam com a sua arrogância, impedindo, assim, a cura. Não faço nada mais do que isso.
Eu me definiria mais como terapeuta familiar, pois ajudo um sistema a encontrar o seu caminho e a sua ordem.

De onde vem a certeza de que esse sistema ficará em ordem?

Os sistemas familiares têm uma força tão grande, vínculos tão profundos e algo tão comovente para todos os seus membros — independentemente de como se comportem com relação a eles —, que eu confio totalmente neles. A família dá a vida ao indivíduo. Dela provém todas as suas possibilidades e limitações. Graças à família, ele nasce no seio de um determinado povo, numa determinada região e é vinculado a determinados destinos e tem que arcar com eles.

Não existe nada mais forte do que a família. Se eu interferir, considerando-me superior, perturbo a sua ordem desse sistema. Por isso, eu me aproximo de uma família com grande respeito e, acima de tudo, com respeito pelos pais. A paternidade é para mim algo tão grandioso que eu, como terapeuta, nunca me colocaria contra eles.

Para mim, é inconcebível atiçar alguém contra os pais, como é feito em certas terapias, ao se dizer: "Vocês têm de se libertar dos seus pais". Isso para mim é absurdo. Como é que uma pessoa pode se libertar dos pais, se ela *é* os pais?

O senhor diz que a família é o vínculo mais profundo que liga os seres humanos. Esse também é o ponto de partida da psicologia clássica. A família como o vínculo mais forte e, ao mesmo tempo, como fonte primária de doenças, neurose e sofrimento psíquico. O caminho da psicoterapia é a libertação, a cura das feridas. A diferença estaria então na maneira de curar essas feridas? Essa cura não seria efetuada através da separação e da libertação dos pais? Ou o senhor vê isso como uma recusa a reconhecer esse vínculo básico?

Sem dúvida. Estamos ligados à família e ao destino dela. E concordo com a senhora quando diz que esse vínculo é às vezes causa de muito sofrimento. Entretanto, a minha conclusão é outra.

Algumas escolas terapêuticas dizem que o indivíduo tem de se separar da família, opor-se a ela ou combatê-la, se quiser ser saudável. Existem até exercícios nos quais o cliente é exortado com frases como: "Mate os seus pais" (em seu íntimo) ou "Descarregue a raiva" ou "Grite para o mundo toda a sua cólera". Para mim, isso é ridículo, porque seu único efeito é fazer com que o cliente depois se castigue.

O terapeuta se apresenta então como um pai melhor ou uma mãe melhor, o que em si já é totalmente absurdo. Pois, quando se trata de tomar decisões de verdade ou quando é preciso fazer sacrifícios por causa de um filho doente, os pais verdadeiros se fazem necessários e assumem então a sua posição. É fácil formular frases bonitas numa sessão terapêutica, mas viver junto com pessoas difíceis ou compartilhar o destino delas é uma coisa bem diferente.

A família provoca doenças, não porque as pessoas sejam más, mas porque na família atuam destinos que concernem, tocam e influenciam a todos. Já começa com os pais. Esses, por sua vez, também têm pais e provêm de famílias com os seus próprios destinos, e isso repercute na nova família. O vínculo familiar faz com que os destinos sejam compartilhados por todos. E, se aconteceu algo grave numa família, existe ao longo de gerações uma necessidade de compensação.

O que acontece aqui é algo como uma consciência de clã?

Eu o chamo de consciência de clã. Existe uma força, uma instância que faz com que todo o sistema familiar busque o equilíbrio e a compensação. Faz, por exemplo, que os excluídos sejam reintegrados ou que cada um arque com a responsabilidade pelas próprias ações ou que as conseqüências de uma culpa não sejam transferidas dos pais para os filhos e destes para os netos.

Se eu apreender e incluir essa força, posso usá-la para restaurar a ordem no sistema, uma ordem que o liberte de um destino nefasto ou, pelo menos, atenue os seus efeitos. Então todos podem respirar aliviados. As forças positivas tornam a entrar em ação e exercem um efeito liberador. Quando a família é colocada em ordem dessa maneira, o indivíduo pode se afastar dela, sentindo às suas costas a força que dela emana. Somente quando os vínculos familiares são reconhecidos, a responsabilidade é vista com clareza e compartilhada entre todos, o indivíduo se sente aliviado e pode seguir o próprio caminho, sem se sentir sobrecarregado e afetado pelo que aconteceu anteriormente.

Naturalmente, assim o senhor restringe consideravelmente a afirmação: "A família provoca doenças".

O amor no seio da família tanto pode provocar doenças como restabelecer a saúde. Não é a família que provoca as doenças, mas a profundidade dos vínculos e a necessidade de compensação. Quando se traz isso à luz, esse mesmo amor e essa mesma necessidade de compensação podem, num nível superior, ter uma influência benéfica sobre a doença. Dizer, simplesmente, que a família provoca doenças seria condenar levianamente a família.

O senhor não admite nenhum ataque à família.

Não, é injusto acusá-la. O sofrimento no seio de uma família não se origina porque existe a família. Assim como é a família, é também a vida. Na família, começamos a viver e daí surge a pergunta: como é que o indivíduo pode organizar a sua vida sobre essa base de maneira que seja possível um desenvolvimento?

Voltemos ao assunto das escolas terapêuticas. Às vezes, tenho a impressão de que o senhor tem uma postura crítica com relação aos seus colegas de profissão. Pois bem, o mercado terapêutico se transformou, nesse meio-tempo, num campo muito amplo. A clássica escola freudiana, com o cliente deitado no sofá, fora do alcance visual do analista, é uma pequena parcela desse campo. Foram criados muitos métodos para mobilizar forças de cura por meio da intervenção terapêutica: a musicoterapia, a cromoterapia, a terapia corporal, a hipnoterapia, a terapia respiratória e outras. Seria injustiça menosprezar essas terapias.

Longe de mim tal idéia, pois eu mesmo aproveitei muito da psicoterapia. A psicoterapia também cresce com a experiência.
As teorias de Freud são até hoje fundamentais, mas elas se desenvolveram muito em vários aspectos. Embora não se possa ficar limitado aos métodos freudianos, nem por isso pode-se desvalorizá-los. Eles continuam sendo o fundamento e a origem da psicoterapia.
Muitas terapias se concentram em áreas particulares, transmitindo novas experiências e ampliando a consciência. As terapias corporais, como a bioenergética, por exemplo, partem do princípio de que muitos distúrbios provocam tensões musculares e que podem ser dissolvidas. Com isso, o cliente entra em contato com sentimentos profundos — inclusive com o amor pela própria família. Isso alivia, descontrai e libera novas forças.
Entretanto, os problemas básicos estão relacionados com a família. Melhor dizendo, o indivíduo, não importa o que ele anuncie ao mundo, no

fundo permanece fiel à família. Tenho que reconhecer esse amor profundo. Mas, hoje em dia, aquele que diz que ama a família é encarado com suspeita e gera oposição.

O senhor quer dizer que a tendência, nas terapias, é aprender a se separar da família, dos pais, para dessa forma ganhar liberdade?

Assim me parece. Mas o amor profundo não admite que alguém se oponha à família por muito tempo. Por isso, quem combate o próprio pai se tornará forçosamente igual a ele. E quem combate a mãe se tornará forçosamente igual a ela. Existe uma bela frase de Maomé: "Quem acusa o próprio irmão de uma falta não morrerá sem antes cometer essa mesma falta". Isso é semelhante ao que acontece conosco se negamos os nossos pais dessa maneira.

Muitos distúrbios e doenças se originam do conflito que resulta dessa recusa em reconhecer os vínculos familiares. Como terapeuta, eu tento recuperar o amor original.

A interrupção do movimento de entrega com relação à mãe ou ao pai

Às vezes, o amor pelos pais pode sofrer uma perturbação. Por exemplo, quando, em tenra idade, o movimento de entrega de uma criança com relação aos pais foi interrompido por uma longa permanência num hospital. Isso causa uma grande dor na criança. Essa dor é dissimulada através da oposição aos pais. Na verdade, essa oposição é somente uma lembrança da separação precoce. Se considero isso somente num nível superficial, portanto como oposição, então não posso ajudar essa criança. Mas é diferente se sei que posso confiar no amor. O amor sempre existe, só preciso procurá-lo. Quando uma pessoa está zangada com os pais, eu procuro descobrir em que ponto se deu a interrupção precoce. Quando encontro esse ponto, ajudo a criança no cliente a concluir o movimento de entrega em direção à mãe ou ao pai daquela época. Então a luta cessa e todos respiram aliviados, inclusive os pais. Eles podem voltar a se dedicar ao filho e o filho a eles.

Esse é o mesmo tema da terapia corporal. Uma vez tive a oportunidade de testemunhar um terapeuta, que era também um bom ator, apresentando essa "entrega interrompida": A criança tem quatro anos de idade e volta do jardim cheia de alegria, com os sapatos bem sujos de lama. Ela traz nas mãos uma flor e se dirige radiante para a mãe. Justo nesse momento, a mãe está fazendo limpeza, teme que a lama suje o chão que acaba de limpar e grita: "Pare, vá embora". A criança se assusta, se contrai e encolhe os ombros. O terapeuta demonstrou de maneira bastante impressiva essa postura. Todos rimos, porque era tão simples e ficou tão claro que ninguém pretendia fazer mal ao outro, mas que ambos estavam absorvidos em suas ações. Assim, ele nos explicou como assumimos uma postura e não notamos porque os músculos se "acostumam" a essas posturas inadequadas, isto é, elas já não causam dor mas tampouco deixam fluir a energia. Custa-nos energia manter esse estado que nem notamos mais. Naturalmente, isso acontece somente se esses momentos se repetem com freqüência e se desenvolvem como padrão de comportamento. Então passamos a vida tensos, contraídos, com os ombros levantados, a cabeça entre eles, curvados e torcidos. Se a tensão muscular desaparece, o susto vem à tona e a energia flui novamente.

Essa é uma descrição maravilhosa da entrega interrompida. No momento em que a entrega é interrompida, o corpo vai para trás e a cabeça para cima. O movimento contrário seria: A cabeça se curva para baixo e as mãos são estendidas.

Isso pode ser feito num nível puramente físico, dissolvendo a tensão muscular e completando a entrega. Ou eu deixo o cliente voltar interiormente a esse ponto e imaginar que ele se dirige, como criança, à mãe e lhe entrega a flor. Também dessa maneira o movimento se completa e a tensão também desaparece. Pode-se ver, portanto, que diferentes tipos de terapia podem levar ao mesmo resultado.

Uma criança que tenha essa postura tensa, não só não se atreverá mais a se dirigir à mãe. Mais tarde, ela terá essa mesma atitude com relação a outras pessoas e não irá ao encontro delas. Pouco ajudaria se ela aprendesse somente a se aproximar das outras pessoas. Ela tem que retomar o movimento de entrega no mesmo ponto em que se deu a interrupção e levá-lo a seu termo.

O terapeuta corporal talvez dissesse: Se essa tensão e essa dor forem recordadas e desaparecerem, a relação com os pais e com as outras pessoas também será modificada.

Aqui quero chamar a atenção para um perigo. No momento em que a entrega é interrompida, a criança está assustada e talvez também frustrada e zangada. Se eu me atenho a esses sentimentos primários e não os ligo à entrega interrompida, manifesta-se somente o sentimento primário, por exemplo, a raiva, o desespero ou a dor. No entanto, a criança queria mostrar algo à mãe. Se acompanho o amor da criança, eu chego mais depressa ao meu objetivo do que se me concentrar na raiva ou no desespero.

Essa é uma diferenciação importante. Não trabalho com os sentimentos descritos pelo cliente, mas vejo todo o processo e me concentro no primeiro sentimento em questão, que é sempre o amor. Segundo a minha experiência, não existe nenhuma exceção quanto a isso.

Quer dizer que as outras terapias percorrem um caminho mais longo?

O terapeuta descrito há pouco pela senhora conseguirá certamente concluir o movimento de entrega interrompido. Eu só alertei para o perigo de se olhar talvez mais para os sentimentos primários, que se originam desse movimento interrompido. Esses sentimentos não levam a uma solução, eles reforçam mais uma vez a experiência anterior, em vez de retomar o movimento interrompido. Ou servem como justificativa, por exemplo, para se separar dos pais em vez de voltar para eles com amor.

As exigências morais

É disso que se trata o processo terapêutico. O objetivo de uma terapia eficaz não é fazer com que a pessoa se torne adulta? Quer dizer, ser responsável por si mesma, não atribuir a outro a culpa pelo próprio destino e conseguir se entregar aos seus impulsos mais íntimos.

Essas são exigências morais. E endurecem a alma. Parecem exigir um grande esforço e, na verdade, não apóiam as forças que poderiam ajudar. Existem terapias que estabelecem regras acerca de como a pessoa deve ser. "Ela tem de ser individuada", dizem algumas, não importa o que isso signifique, ou "Ela precisa ser adulto" ou "Ele tem que fortalecer o ego". Quando refletimos sobre o que isso significa ou se essas exigências podem ser satisfeitas, nos sentimos pequenos e começamos a ter dúvidas. Mas essas coisas se desenvolvem naturalmente numa família.

No início, a criança está estreitamente ligada à família, depois o seu espaço vai ficando cada vez mais amplo. Mais tarde, quando já tomou tudo o que poderia da família, e valoriza isso, esse desenvolvimento acontece, sem nenhum esforço. Ela não precisa se propor a tornar-se adulta. Ela é adulta.

Se preciso me propor a fazer algo, então não quero realmente fazer isso, senão não teria que me propor. Portanto, essa intenção indica que me falta algo que devo ainda tomar ou colocar em ordem. Quando surge esse tipo de exigência, sei que ainda existe algo a ser recuperado. Então ajudo o cliente a recuperar ou solucionar o que for necessário.

O triunfo é a renúncia ao sucesso

Diferenciação dos sentimentos

Em seu trabalho, o senhor sempre fala sobre o amor que vem à luz. O que dizer de sentimentos como a raiva, o ódio, a inveja? A meu ver, no seu trabalho terapêutico não existe nenhum espaço para a raiva. Por quê?

Eu diferencio os sentimentos primários dos secundários, que servem como substitutos dos primeiros. A emoção primária leva à ação, a secundária serve como substituto para a ação. Por isso, é contraproducente trabalhar com um sentimento secundário; isso somente reforça a recusa a agir.

A inveja

Vou-lhe mostrar a diferença usando como exemplo o sentimento da inveja. Inveja significa querer ter algo sem querer pagar seu preço. Em vez de trabalhar com a inveja, prefiro conduzir o cliente a um ponto em que ele mesmo possa decidir se está disposto a pagar o preço total pelas vantagens e pelo sucesso.

A raiva

O mesmo se dá com a raiva. A raiva primária surge quando sou atacado. Essa raiva me dá forças para eu me defender e por isso ela é boa. Ela me torna capaz de agir. No entanto, a raiva mais intensa que surge é fruto de fantasias. Fica-se com raiva mas não se age.

Por exemplo, pude observar isso em mim mesmo quando trabalho. Se eu ficar zangado com as pessoas, numa constelação, e começar a me perguntar: "O que há de errado com essas pessoas? Por que estão contra mim?", sei imediatamente que essas suposições e esse sentimento são fantasiosos. Porque todas as vezes que investiguei a causa, ela era diferente daquela que eu tinha imaginado. A raiva se manifestou simplesmente por causa de uma imagem interior. Essa espécie de raiva não se pauta em informações. Ela se baseia em projeções e suspeitas, é infundada.

A raiva costuma ser um sentimento reprimido. As pessoas quase nunca ficam realmente exasperadas. A raiva geralmente não é expressa; ela se esconde em recantos totalmente inadequados.

A raiva também tem a ver com um direito que eu não reivindico. Se não reivindico o direito que tenho, fico com raiva. Essa raiva também serve como substituto para a própria ação.

O senhor disse que não concorda que a raiva seja expressa no processo terapêutico. Entretanto, nesse processo existem situações em que as pessoas aprendem a sentir essa força dentro de si. A raiva abriga uma enorme energia.

Muitas vezes é somente uma força aparente. Os sentimentos decisivos são, no fundo, a dor e o amor. Em vez de encarar a dor, eu talvez fique com raiva. Assim, por exemplo, alguém lembra-se durante a terapia que apanhava quando pequeno e sente então raiva do agressor. Se sente raiva, não sente a dor. Entretanto, se ele disser: "Isso realmente me magoou", passa para um outro nível, mais introspectivo e muito mais forte. Isso penetra mais fundo do que dizer com raiva: "Você vai me pagar!"

Existem pessoas que atiram copos na parede para expressar um impulso repentino do tipo: "Como você pode fazer isso comigo!?". Não vejo nada de errado nisso. Não tira a dor, mas expressa a emoção de forma direta.

Posso ver essa espécie de raiva como uma expressão de dor. Mas com isso a pessoa se aproxima de um limite perigoso. Se ela ultrapassá-lo por pouco que seja, tudo estará perdido. Ela pode ter expressado a sua raiva, mas disso nada resultará. Faço aqui uma distinção entre triunfo e sucesso. O sentimento que leva ao triunfo ou à vitória prejudica o sucesso.

Eu passo a me sentir mais digna.

O triunfo

Eu sou digna e você é um patife. Eu sou a esposa fiel e você é o infiel. Ela triunfa, mas perde o parceiro. O sucesso, ao contrário, é conquistado quando renunciamos ao triunfo. Na cultura asiática, não se pode deixar que a situação chegue ao ponto em que a pessoa seja desmoralizada. Com isso as pessoas asseguram o sucesso no futuro. Se eu me comporto de forma que o outro possa salvar as aparências, mesmo que tenha feito algo terrível, eu o terei conquistado. Ele vai fazer todo o possível para remediar o que fez. Se, por outro lado, eu o humilhar ou ridicularizar, vou perdê-lo. Mais ainda — eu arranjarei um inimigo e não ganharei nada com isso. Mesmo aqueles que não estão diretamente envolvidos no caso também sentirão uma necessidade instintiva de compensação.

O triunfo é a renúncia ao sucesso. Quem triunfa perde o apoio dos outros. Esses se voltam mais para o perdedor. É uma necessidade irresistível.

O ódio

Muitos sentimentos são só o reverso do amor e da dor. O ódio é somente a outra face do amor. Ele surge quando alguém é ferido em seu amor. Se a pessoa expressa o ódio, ela bloqueia o seu acesso ao amor. Mas se disser: "Eu te amei muito e isso me machuca demais", então não existe mais espaço para o ódio. A reconciliação é possível depois de pronunciada essa frase. Ela se torna impossível depois do ódio. Com o ódio, a pessoa perde exatamente aquilo que realmente deseja.

O medo

Existem pessoas que dizem que o oposto do amor é o medo.

O oposto do amor é a indiferença. Quando um casal chega para mim e diz que já não podem mais viver juntos, só olho para ver se ainda existe algum tipo de envolvimento. Se ainda sofrem muito, existe ainda envolvimento e as chances para uma reconciliação são boas. Se já não há dor, o relacionamento está terminado e predomina a indiferença.

Mas voltando ao medo. Ele é concreto quando receamos alguma coisa. Por exemplo, que a minha mãe vá embora e não volte mais. Os pais, em geral, fazem tudo para que os filhos não precisem ter esse medo. Assim, a criança se sente segura. Mas a idéia de uma educação livre de medos é uma utopia. Isso não existe. Quando alguém diz: "As crianças devem ser educadas sem medo" ou: "A igreja não deve causar medo", conto, com muito prazer, a história da avó que queria amenizar os contos de fadas por terem um caráter muito cruel. Quando ela narrou para os netos esses contos de fadas atenuados, eles ficaram com medo — da avó.

O medo é um sentimento que se prende a algo. Se retiro tudo aquilo no qual o medo pode se fixar, ele cresce. É melhor encarar diretamente as situações que provocam medo. Se, por exemplo, numa família falecesse o avô, eu pegaria a criança pela mão e diria a ela: "O vovô morreu". Tocaria com ela a mão do avô e diria: "Veja, a mão dele agora está fria. Vamos enterrá-lo, mas você pode se lembrar sempre dele". Assim a criança pode olhar para o morto sem medo.

Muitas vezes, durante a terapia reconduzo a pessoa — em transe — ao leito de morte de alguém e a deixo rever esse ente querido, estendido ali, sem vida. Eu também permitiria que as crianças se deitassem ao lado do morto. Quando se levantam, estão livres do medo, pois o encararam.

Encararam o medo da morte?

O medo dos mortos. Quanto a outras situações que provocam medo, pode-se fazer com que a criança as enfrente, protegendo-a ao mesmo tempo. Assim ela aprende a lidar com essas situações.

Nos relacionamentos, existe o medo da proximidade, o medo de se envolver. Daí advêm muitos problemas sexuais. Por isso lembrei-me de ligar o amor ao medo.

Sim, isso existe. O medo de se entregar à mulher é, na verdade, o maior medo do homem. Como na história do homem que saiu pelo mundo para aprender a ter medo. Ele aprendeu a ter medo na cama, com a mulher. Ou Siegfried, de Wagner, que aprendeu a ter medo quando abriu a armadura de Brunhild e a reconheceu como mulher. Esse medo tem a ver com a profundidade da vida e da morte.

Em geral, o medo de se entregar é atribuído aos homens. Receio que o mesmo se passe com relação às mulheres.

A mulher certamente sente a mesma coisa a seu modo como, por exemplo, Brunhild com relação a Siegfried.

A minha imagem é: tanto o homem como a mulher sabem que a consumação do amor dá origem a um vínculo indissolúvel. Esse reconhecimento dá medo. Isso não parece estar de acordo com o pensamento atual, todavia parece ser fato conhecido.

Quando o senhor fala em vínculo, está necessariamente falando de um relacionamento? Porque esse medo com certeza está presente nos relacionamentos.

O relacionamento é menos que um vínculo. Freqüentemente evitamos um vínculo por meio de um relacionamento. Por exemplo, quando um casal inicia um relacionamento e fica claro, desde o início, que é algo temporário, sem risco, ou quando um parceiro já tinha se esterilizado. Então não existe vínculo, embora seja um relacionamento. Por outro lado, pode surgir um vínculo sem relacionamento, por exemplo, através do estupro.

Isso significa que o vínculo tem a ver com o fato de se conceber filhos?

Não. Tem a ver com a consumação do amor. Se nesse ato está excluído algo essencial, não se cria um vínculo. Mas deve-se ser bem cauteloso aqui para não se dar a impressão de que estejam sendo formulados preceitos de como isso *deve* ser. Observo, através dos efeitos, se se originou um vínculo ou não.

O senhor descreve o vínculo de acordo com os resultados que podem ser observados ao longo de gerações e por meio das constelações familiares?

Exatamente. Isso evita equívocos. O vínculo só pode ser descrito de acordo com os resultados.

A *depressão*

O senhor disse anteriormente que a pessoa acaba se castigando se, na terapia, ela foi incentivada a expressar a raiva que sente contra os seus pais, às vezes com gritos ou batendo num travesseiro. A que tipo de castigo o senhor está se referindo? Como ele se evidencia?

Essa pessoa pode ficar deprimida, por exemplo.

Se ela já não o era antes. Existem muitas pessoas que não conseguem expressar a raiva.

Elas não ficam doentes porque reprimem a raiva, mas porque reprimem a ação que levaria a uma solução. Só o fato de expressar a raiva não liberta ninguém. Persiste a necessidade de lidar com a situação apropriadamente. A senhora disse "se ela já não estava deprimida". A pessoa deprimida é, em geral, aquela que não tomou um dos pais. Quando alguém expressa a raiva da maneira como foi descrita, afasta de si os pais mais uma vez. Assim, a depressão pode aumentar ainda mais. Mas, muitos castigam-se simplesmente através do fracasso, por exemplo, na profissão ou no relacionamento, perdendo ou não conseguindo emprego, perdendo o seu parceiro ou muito dinheiro.

Mas isso não significa que todos aqueles que já participaram desse tipo de terapia são, de uma forma ou de outra, fracassados?

Depende da extensão e da gravidade da situação. A base do desenvolvimento saudável é reverenciar os pais, respeitar aquilo que significam e tocar a vida em frente. Não importa como são os pais. Aquele que ousa desprezar os pais vai repetir em sua própria vida o que ele despreza. Pois é exatamente através do desprezo que ele se torna igual aos pais.

A pessoa que respeita os pais e os toma sem reservas, toma tudo o que eles têm de bom — isso flui para dentro dela. O estranho é que aquele que toma os pais dessa forma não é afetado pelas fraquezas ou pelo destino adverso dos pais.

No livro My Mother, Myself, de Nancy Friday, a autora descreve de maneira bem plástica o que muitos vivem no dia-a-dia. A pessoa, repentinamente, se olha no espelho e vê que está igual à mãe. Ou percebe que está fazendo, no cotidiano, exatamente aquilo que não queria fazer, como se existisse uma compulsão de repetir os mesmos padrões.

Sim, quanto mais uma pessoa rejeita os pais, mais vai imitá-los. Se rejeita o pai, por exemplo, porque é alcoólatra ou a mãe porque tem um filho ilegítimo, então a atenção se volta para a pessoa rejeitada. Nesse caso, o que os pais deram de bom não pode ser reconhecido e tomado. E essa rejeição também acaba afetando outras áreas da vida.

Por que ela não consegue tomar o que recebeu?

Exatamente. Fazer exigências é uma forma particular de rejeitar os pais. Quando alguém quer impor aos pais a maneira como devem ser ou o que deveriam fazer por ele, impede a si mesmo de tomar o que é essencial.

Aceitar e tomar

O senhor poderia descrever mais exatamente o que significa "tomar"?

"Tomar" é para mim um processo básico. Eu estabeleço um limite bem claro entre aceitar e tomar. O aceitar é benevolente. Tomar algo significa: Eu o tomo assim como é. Esse tomar é humilde e concorda com os pais assim como eles são. Quando faço isso, eu também concordo comigo mesmo, assim como sou. Isso tem algo profundamente conciliatório, é como descansar, enfim. Está além de qualquer julgamento; não é bom, nem mau. Quem se vangloria dos pais tampouco os tomou. A idealização também exclui o essencial.

Esse tomar está, portanto, além de qualquer admiração, idealização ou condenação.

Está. É algo básico. Aqui não existem julgamentos. Quem toma essa atitude fica em paz consigo mesmo e com os seus pais e é independente.

A dor

Toda terapia trata do relacionamento com os pais, da dor causada pelo que não foi possível.

"A dor causada pelo que não foi possível." Só essa frase já tem um efeito negativo.

Por isso repito a pergunta: Tomar os pais como eles são não é também um processo que requer muito tempo e esforço, para algumas pessoas, e que não ocorre naturalmente? Ter um pai alcoólatra é muito duro para uma criança.

Se alguém sofre por ter um pai alcoólatra, não pode tomá-lo.

Mas o tomar não é uma coisa que se decide racionalmente. Isto é, não adianta dizer a alguém que ele deve tomar o pai mesmo que ele seja alcoólatra.

Não, isso não dá certo. Só existe uma solução. É quando a criança ama profundamente o pai e diz: "Eu o tomo como pai do jeito que você é". Sofrer pelo fato do pai ser alcoólatra bloqueia o amor. O cliente precisa ir além da dor e sobrepujá-la a fim de poder tomar o pai. Dizer ao cliente que ele "deve sentir essa dor" seria interromper esse movimento.

É uma situação diferente se a criança não pode ir em direção ao pai, por exemplo, porque ele faleceu. Então trata-se de uma dor pela perda do pai e isso tem um caráter diferente. É uma dor com amor. Mas a dor que vem da rejeição ou da desvalorização dos pais tem um efeito negativo e enfraquecedor.

Entretanto, ter um pai alcoólatra é de certa forma uma perda para o filho. A impossibilidade de viver em paz com um pai que chega bêbado em casa e espanca os filhos ou a mulher.

A dor e a tristeza que advêm do fato de uma pessoa maltratar outra têm um efeito negativo.

Toda pessoa que faz terapia acaba revendo situações em que ela foi ferida. Não há como impedir que ela reviva experiências da infância com o pai e a mãe. Existem muitas crianças que sofreram nas mãos dos pais e carregam feridas da infância. Como se deve lidar com isso? Deve existir uma forma de lidar com a dor que se carrega. Não se pode decidir racionalmente e simplesmente dizer: "Eu os tomo como eles são". O que se pode fazer nesse caso?

Eu mesmo fiz essas reflexões e andei à procura de soluções. Nesse meio tempo, no entanto, elas se tornaram, para mim, um território desconhecido. Não consigo mais compreendê-las. Nelas impera a idéia: "Posso colocar as coisas em ordem extravasando a raiva ou a dor", como se me fosse possível colocar as coisas em ordem dessa forma.

Não quero dizer colocar as coisas em ordem; penso mais em cura.

Sentir uma dor profunda, ao lado do pai ou da mãe, é o que cura. Para mim, isso pode ser expresso assim: "Que pena", simplesmente, "que pena". Aqui não há acusações, somente uma dor compartilhada.

Já falamos sobre a interrupção do movimento de entrega com relação a um dos pais. O senhor disse: "O cliente é conduzido ao ponto em que essa entrega foi interrompida".

Dessa maneira a entrega é consumada e algo pode ser remediado. No entanto, num outro nível, persiste esse "que pena"; que pena que isso tenha demorado tanto para remediar a situação. Esse sentimento é valioso, porque nada é removido cirurgicamente. Mais do que tudo, trata-se de uma força viva que pode atuar agora de uma forma benéfica.

É, portanto, um processo de transformação.

Exatamente. Nós estamos falando de experiências e toda experiência é enriquecida e corrigida por outras, mais novas. Toda afirmação genérica pode nos deixar cair na tentação de descartar esse processo difícil e cuidadoso de observação. Com isso, perde-se uma boa parte da realidade. Por isso essas afirmações servem, na verdade, somente para conduzir à observação. Elas nos apontam uma direção, mas é necessário que a pessoa aprenda por si mesma a ver de forma acurada.

Os donos da verdade não se preocupam em saber a verdade

O saber e a percepção

Como o senhor chegou a essas descobertas? O senhor disse que é preciso um novo iluminismo.

Eu trago à luz conexões que são visíveis. Isso é o contrário de uma ideologia. Não faço tampouco exigências. Não digo que se deva voltar a um moralismo provinciano. Longe de mim tal idéia.
Eu vejo, por exemplo, que existem certas ordens, na família, que têm certos efeitos, quer sejam respeitadas ou não. Esses efeitos são inevitáveis e por isso eu os trago à luz. É um trabalho elucidativo. Esclareço o que acontece com a família num nível profundo.

Mas as outras pessoas não conseguem ver isso.

Quem olha, consegue ver. Se alguém não quer ver, também não vou tentar convencê-lo disso, mas também não aceito que faça julgamentos a respeito sem sequer ter olhado.
Numa constelação, pode-se ver, por exemplo, que se alguém está casado em segundas núpcias, um dos filhos desse casamento representará o parceiro anterior. Essa criança assume os sentimentos desse parceiro. Se o primeiro parceiro era uma mulher, uma filha rivaliza com a mãe sem saber por quê. O seu relacionamento com o pai corresponde mais a um relacionamento conjugal. Isso acontece se o primeiro parceiro não tiver sido reconhecido e valorizado.
Agora, alguém pode dizer que estou apenas fazendo suposições. No entanto, em vez de contestar, eu sugiro que essa pessoa observe para ver se

é isso mesmo que acontece. Se, por acaso, ele vir outra coisa, podemos trocar idéias. Assim ambos teremos observado o que havia ali.

Mas para onde ela tem de olhar?

Ela tem de observar famílias em que houve parceiros anteriores. Se deixar atuar em si o que acontece nessas famílias, ela conseguirá ver. Pode-se ver isso bem claramente nas constelações familiares.

Pessoas que sigam uma escola de pensamento mais progressista talvez digam: "Isso tudo é asneira. Afinal, o que são constelações familiares?!"

Recentemente dei um curso em que um professor foi convidado para ver o trabalho com constelações familiares. Ele disse a um amigo meu que não precisava nem olhar para saber que aquilo tudo era um absurdo. Isso me fez lembrar as autoridades da Igreja que disseram a Galileu que não precisavam olhar pelo telescópio porque já sabiam que não podia existir luas ao redor de Júpiter. Os donos da verdade não se preocupam em saber a verdade.

Mas uma coisa é dizer: Eu vejo essas ordens e emaranhamentos e surge em mim, involuntariamente, a sensação: Isso me parece tão convincente... Quando o senhor diz que coloca algo em ordem, o que quer dizer com isso?

Em primeiro lugar é preciso ver que essas afirmações são feitas num contexto concreto. Quando alguém monta a constelação familiar, ele traz repentinamente à luz algo que anteriormente estava oculto para ele. Nesse ponto, faço naturalmente comentários sobre esse sistema. Comentários às vezes bem duros.

Uma mulher participou recentemente de um curso. Ela era fruto do terceiro relacionamento de sua mãe. A primeira filha tinha sido entregue à avó. Na constelação familiar a imagem foi muito estranha. A segunda criança tinha falecido logo após o nascimento. De repente vi que essa segunda criança tinha sido assassinada. Perguntei-lhe, então: "Essa criança foi assassinada?" Ela respondeu: "Não sei, mas sempre ouvi comentários de que a minha mãe quis matar a primeira filha".

De repente, a questão do assassinato neste sistema familiar passou a pesar no ambiente. Quando algo assim vem à tona é chocante para todos, muito chocante.

Não estou afirmando que isso realmente aconteceu. No entanto, mais tarde veio à luz que a cliente tinha medo de usar de violência contra o

filho pequeno e que esse filho também era violento com a mãe. Era uma relação de grande perigo. Mandamos então a representante da mãe dela para fora da sala e colocamos o pai na constelação. Bastou isso para que a paz voltasse a reinar na constelação. A cliente voltou-se para o representante do pai, que morrera cedo, e pôde se reconciliar com ele.
Então ela apresentou ao pai o pequeno filho, que também estava presente. Depois colocou a criança ao lado do pai dela, do qual a mãe estava separada. Ali o menino se sentiu seguro.
Em situações extremas como essa, todo o conhecimento que temos é inútil; temos que confiar na nossa percepção. Se a pessoa duvida da própria percepção ou tem medo das conseqüências do que percebe, ela talvez diga: "É melhor experimentar outra coisa". Mas isso não funciona.

A autoridade

Procedo com autoridade, mas não sou autoritário. Pois não sigo somente a minha percepção, eu a examino cuidadosamente: É realmente assim? Se os clientes se sentem aliviados com a minha intervenção, então ela foi justificada.
Autoridade significa, para mim, ser capaz de fazer algo que os outros necessitam. Só tenho autoridade quando posso fazer algo por alguém numa determinada situação. A autoridade baseia-se na proporção entre a necessidade e a capacidade de satisfazer essa necessidade. Isto é, quanto maior a necessidade do outro e quanto maior a minha capacidade de satisfazê-la, maior é a minha autoridade.
Mas quando alguém reivindica autoridade sem satisfazer uma necessidade, então ele é autoritário. Ele reivindica uma autoridade que não tem porque não está disposto ou não é capaz de fazer o que é necessário.

A força da terra

Com relação à necessidade de terapia o senhor disse que, no campo, muitas coisas são resolvidas sem grandes terapias. A terapia só é necessária nas cidades grandes? Isso não é uma idealização da simplicidade da vida no campo?

Na psicoterapia vemos os distúrbios e não reparamos muito naqueles que resolvem os problemas naturalmente, sem recorrer à terapia.

Parece-me que o senhor está dizendo que, no campo, as coisas estão mais em ordem.

Não, tem a ver com as coisas mais imediatas. Tem a ver, por exemplo, com o que sentimos com relação ao nosso trabalho.

Por isso um aprendiz tem, muitas vezes, um peso anímico maior do que um estudante. O aprendiz não pode se refugiar em teorias ou adiar o seu futuro. Ele tem que encarar imediatamente a realidade. Isso o faz manter os pés firmes na terra.

O que significa a força da terra?

Um objeto é colocado à nossa frente e nos bloqueia a passagem. É uma realidade que me obriga a me adaptar e a me submeter às circunstâncias. Assim, o camponês submete-se ao tempo, às estações do ano, o que quer que seja. O artesão submete-se aos materiais de construção, às ferramentas, aos projetos. Também existe espaço para a criatividade, mas o material impõe limites, que ele não pode ultrapassar. Tudo isso leva a uma harmonia com a Terra. Quem não tem essa necessidade, por exemplo, quem não precisa ganhar o próprio pão e é sustentado pelos outros, não se vê confrontado com essa dura realidade.

Qualquer proteção contra o contato direto com a realidade afasta o indivíduo não só da Terra, mas também de si próprio.

Os pecados também têm conseqüências positivas

O lado subversivo da ordem

Quem perturba a ordem? Tudo que tem a ver com a guerra e com as suas conseqüências, quando as pessoas de fato cometeram atos condenáveis? Ou, então, no âmbito moral, homossexuais, filhos ilegítimos, crianças mantidas em segredo, entregues para adoção ou a quem não se contou a verdade. Trata-se de exceções? Eu pergunto pelo seguinte motivo: Se dissermos que essas ordens são independentes do conceito de moral da sociedade, isso tem algo de subversivo. Então essas "ordens da alma" podem, em determinadas circunstâncias, ir contra as convenções sociais.

Sim, podem. Quando se faz esse tipo de trabalho, pode-se ver que os excluídos precisam ser reabilitados. Por exemplo, uma mulher com cinco filhos ilegítimos de cinco homens diferentes. Do ponto de vista moral, talvez possamos ficar indignados com ela. Mas o que os moralistas não compreendem tão facilmente é que os pecados muitas vezes dão bons frutos — por exemplo, os filhos. Se colocarmos a constelação familiar dessa mulher, veremos que ela tem uma força bem especial que as pessoas que a condenam não têm. Ela se posicionou de uma forma especial com relação à vida. Tomou a sexualidade com todas as suas conseqüências e criou os filhos.

A lealdade

Por outro lado, se olharmos as razões ocultas desse comportamento considerado moralmente reprovável, observamos que ele tem muito a ver com a lealdade ao sistema familiar. Ninguém se submeteria a algo tão difícil sem estar envolvido num emaranhamento sistêmico. Muitas vezes, uma criança ilegítima tem também um filho ilegítimo. É uma espécie de acordo com a mãe. Uma espécie de amor e lealdade para com ela.

A lealdade é sempre uma expressão de amor ou pode significar também um vínculo não desfeito?

Lealdade é amor. E significa a disposição de compartilhar o destino da família.

Existe também a rebelião contra a família. Por exemplo, quando um filho se recusa a cuidar e tratar dos pais idosos. Isso seria traição a essa lealdade e vínculo. A lealdade não pode ser violada.

A lealdade teria, então, o efeito de uma autopunição.

Ela pode se voltar contra alguém, mas não necessariamente contra aquele que não foi leal. As conseqüências dessa deslealdade às vezes recaem sobre os filhos. Isso é bem freqüente. Muitas vezes os verdadeiros agressores saem impunes. Os filhos ou netos deles é que pagam por isso.

O que significa fidelidade num relacionamento a dois?

A fidelidade está ligada à tarefa que os parceiros têm em comum, principalmente quando há filhos. É poder contar um com o outro, ficar juntos e criar os filhos em conjunto. Nesse caso, a fidelidade tem um propósito superior. Ela não tem o mesmo significado para casais que não têm filhos ou não querem tê-los.

Outro importante aspecto a lembrar é que a fidelidade freqüentemente exigida no relacionamento de um casal é, na verdade, uma exigência que a criança faz à mãe, para que ela mantenha o relacionamento.

Embora essa exigência seja expressa pelo parceiro?

O que está por trás dessa exigência é o medo da criança de ser abandonada. Se essa exigência for feita ao parceiro, ela destrói o relacionamento. Então o outro deixa de ser parceiro para fazer o papel de mãe. Isso é válido tanto para o homem quanto para a mulher. Exigir a fidelidade do outro não fortalece o relacionamento. Pelo contrário, enfraquece-o. Para mim, a fidelidade entre adultos significa: "Respeite-me e prove que posso confiar em você em nossa vida em comum". Isso fortalece o amor e dá-lhe firmeza. Mas, por exemplo, se um deles diz: "Se você for embora, eu me suicido, porque a vida sem você não tem sentido", isso é uma falsa interpretação do relacionamento. Ambos os parceiros são adultos. Não dependem um do outro como um filho depende da mãe. Se as perspectivas são distorcidas, o outro, em geral, rompe o relacionamento porque essa exigência é desmedida.

Mas ser infiel e romper o relacionamento são coisas diferentes.

Pode ser que, durante um relacionamento, ocorra também um relacionamento significativo com outra pessoa, inclusive sexual. Isso não pode ser julgado de antemão, porque a vida humana é bastante complexa. Se a fidelidade básica e a confiança no parceiro permanecem e essa outra experiência proporcionar enriquecimento pessoal e acabar beneficiando o relacionamento do casal, pode ter também um efeito positivo.

A fidelidade também pode sair prejudicada por causa de um vínculo não dissolvido com a família de origem. Se, por exemplo, uma mulher ainda está apegada ao pai, ela procura, além do marido, também um pai — que, em geral, é o amante. Isso não pode ser simplesmente condenado. A questão é: Como se pode colocar isso em ordem? A mulher tem que se desligar do pai e colocar-se ao lado da mãe. Então ela talvez não precise mais do amante e pode voltar a se relacionar com o marido como esposa. O mesmo é válido, naturalmente, para o homem que ainda está apegado à mãe. Posicionando-se ao lado do pai, talvez ele não precise mais de uma outra mulher.

Nos casos em que a esposa se comporta como se fosse mãe do marido e procura reeducá-lo, pode acontecer justamente o contrário. O marido talvez procure uma outra mulher. Assim a amante fará o papel da esposa, e esta o da mãe. O mesmo acontece com a mulher, se o marido fizer o papel de pai dela. Aqui existem muitas complicações. Colocar tudo sob o denominador comum "fidelidade ou infidelidade" não faz justiça à plenitude da vida.

O aborto

Sistemicamente, quais são os efeitos do aborto?

Quando observo os efeitos, vejo que o aborto é sempre um ponto decisivo na vida de um homem e de uma mulher. Na China, onde o aborto é quase uma estratégia de sobrevivência, ele tem, seguramente, um outro significado.

Aqui as mulheres também vêem o aborto como uma estratégia de sobrevivência.

A questão é se a alma também o vê desse modo. É preciso diferenciar o que a pessoa pensa, ao fazer o aborto, das razões realmente aceitas pela alma. Se elas não são aceitas pela alma, não adianta ter bons argumentos, pois a alma segue leis diferentes daquelas da argumentação.

O primeiro efeito do aborto é que, em geral, o relacionamento acaba. Isso faz sentido, pois, com a criança, também é abortado o parceiro. É como um ritual de separação: Agora estamos separados, como casal já não existe mais futuro para nós.

Se a dor pelo acontecido for compartilhada, o casal ainda pode continuar junto. Ambos aceitam a culpa e se permitem um novo começo. Mas já não existirá a mesma intimidade e isso tem de ser reconhecido.

O outro efeito é que os parceiros se castigam por isso, principalmente as mulheres. Por exemplo, ficam sozinhas ou se recusam a ter outro relacionamento duradouro.

Nos anos 50, por exemplo, o aborto era uma prática anticoncepcional. Foram praticados 200.000 abortos ilegais. Não conheço quase nenhuma mulher que não tenha praticado o aborto alguma vez na vida e, mesmo assim, elas têm um parceiro.

Não tenho tanta certeza. Só quando se coloca a constelação é que se vê o que o aborto significa para um relacionamento.

Não quero fazer nenhum julgamento moral. Entretanto, quando se quer chegar a uma solução, o mais importante é esquecer a idéia de que é possível desfazer o que foi feito. Com relação ao aborto, existe a idéia largamente difundida de que, se a criança foi abortada, colocou-se um ponto final no assunto. Todavia, se uma pessoa decide abortar, consciente do fato de que isso pode ter conseqüências para toda a vida, isso tem um caráter diferente. É uma decisão muito séria.

Psicocapitalistas da pior espécie

Auto-realização, vínculo e plenitude

De acordo com o pensamento atual, o desenvolvimento do indivíduo se encontra bem no alto da escala de valores. Da maneira como o senhor descreve as ordens nos sistemas familiares, não existe essa liberdade ilimitada. Que importância tem para o senhor a auto-realização?

Freqüentemente entende-se por auto-realização a seguinte postura: "Eu faço o que bem entendo e sem consideração pelos outros". Existe uma prece de Fritz Perls — se é que se pode chamar isso de prece! —, na qual ele diz algo do tipo: "Eu faço as minhas coisas e você as suas. Como você se sente não é problema meu. Sigo o meu caminho". Aqui negam-se os vínculos e os custos são imputados aos outros. Denomino esses "auto-realizados" de psicocapitalistas da pior espécie. É preciso reconhecer, no entanto, que esse tipo de auto-realização faz com que a pessoa assuma uma posição marginalizada que talvez lhe tenha sido imposta por um emaranhamento sistêmico.

Quando um pai ou mãe de família diz ao parceiro e aos filhos: "Agora vou viver a minha vida, não importa o que aconteça com vocês", isso é encarado pela família como um crime pelo qual um filho terá de pagar. Quando alguém abandona levianamente a sua família e se recusa a cuidar dela, muitas vezes pode acontecer que uma criança morra, cometa suicídio ou fique gravemente doente. É absurdo que alguém ache que possa se desenvolver desligando-se dos seus vínculos. Basta olhar para essas pessoas "auto-realizadas". Elas têm pouquíssimo peso.

Como o senhor chegou a essa conclusão?

É só uma imagem, mas nela existe algo de verdadeiro. Pode-se ver a força que essa pessoa tem. Existem terapeutas, por exemplo, que só se confrontam com casos fáceis. Clientes com problemas sérios não irão consultá-los porque sentem que o terapeuta não tem peso anímico suficiente para lidar com eles. Se esse terapeuta se defronta com um grande sofrimento ou dificuldade, percebe que, de repente, um outro tipo de clientela começa a consultá-lo. Ele passa então a compartilhar de outra maneira dos sentimentos dos outros e os clientes sentem seu grande peso anímico.

Isso significa que o terapeuta só pode estender o seu trabalho prático na medida em que ele próprio tenha atravessado ou sofrido um determinado processo?

Sim. Isso também tem a ver com a idade. O peso da alma aumenta com a idade. Um trabalho difícil e profundo só pode ser realizado por uma pessoa mais velha, que já viveu muito. Os mais jovens podem fazer trabalhos mais amenos como, por exemplo, a tarefa de desenvolver habilidades.

É uma capacidade que você pode ou não adquirir.

Isso é algo que se conquista cumprindo as tarefas comuns do dia-a-dia. Aquele que cuida dos seus afazeres cotidianos e os encara assim como a vida lhe apresenta, ganha esse peso anímico específico. Quem procura o excepcional tem menos peso.

Não é um pouco categórico o senhor dizer que as pessoas auto-realizadas têm um peso específico menor?

Seria mais certo dizer "as supostas". A verdadeira auto-realização acontece quando alguém segue a sua vocação interior, sua missão especial, para a qual foi chamado a serviço. Quando ele a satisfaz, alcança a realização pessoal. Essa pessoa tem paz interior e peso na área em que é competente. Por exemplo, um artesão ou um empresário, ou um camponês, ou uma mãe ou um pai ou um músico. Não importa em que área ela atue. Essas pessoas fizeram o que a vida exigiu delas. E alcançaram a plenitude. Meu principal objetivo na terapia é auxiliar os clientes a se tornar pessoas auto-realizadas.

A força e a fraqueza

No momento, o senhor trabalha com constelações familiares, sobretudo com casos de doentes graves. Uma consulta é o suficiente?

Quando se trata de problemas sérios, em que há risco de vida, não se pode fazer longos programas de treinamento. Por exemplo, com pessoas cancerosas. Como posso fazer uma longa psicoterapia com alguém que está à beira da morte? Por isso o coloco primeiramente em contato com a gravidade da doença dela, deixo-a encarar a morte e ver que o fim está próximo. Então procuro as forças de cura que ainda existam em sua família e o que ainda precisa ser colocado em ordem. Isso pode ser feito numa sessão.

Uma única sessão é suficiente? Na maioria das vezes, o senhor trabalha com pessoas que vêm acompanhadas de seus terapeutas, isto é, que se encontram em tratamento?

Em grandes grupos sim, para que os terapeutas possam seguir o tratamento se for necessário. Mas vejo isso também de outro ponto de vista. Depois de ter montado a constelação de uma pessoa gravemente doente não posso dizer: "Na semana que vem nos veremos novamente". Pois não quero que ela fique dependendo de mim. A minha intenção é colocá-la em contato com as suas próprias forças e com as forças da família dela. Seria, portanto, antiterapêutico fazer mais do que isso.

Isso significa que o terapeuta também pode enfraquecer as forças do cliente.

Exatamente. O critério principal de meu trabalho é: Isso fortalece ou enfraquece o cliente?

Como o senhor descreveria a força e a fraqueza?

Existe uma percepção imediata. Algumas vezes procuro confirmação com o grupo. Por exemplo, quando uma pessoa começa a falar algo e eu digo "pare", pergunto também aos participantes do grupo: "Se ele disser algo agora, isso o torna mais forte ou mais fraco? Que impressão vocês têm?" Quase todos percebem isso imediatamente, inclusive a pessoa que queria dizer algo.

No entanto essa percepção não é algo que se possa provar.

Não. É uma impressão direta.

Como o senhor aprendeu isso?

De repente ficou claro para mim que isso era um critério importante. Pude observar em mim mesmo o que me torna mais forte ou mais fraco. E vi que tudo aquilo que enfraquece impede a solução. Quanto mais rápido o trabalho, mais força fica disponível para a ação.

Quanto mais rápido melhor. Isso também porque, quando o trabalho é rápido, só se tem uma visão panorâmica do caso? Existe naturalmente uma vantagem em se reduzir o caso ao essencial, assim os moldes mais simples se adaptam melhor. Não se fica confuso quando o quadro é reduzido.

Forças básicas

Estamos falando aqui de forças básicas: força ou fraqueza, concentração ou dispersão, agir ou contemplar. Esses são os movimentos pelos quais me oriento. O critério principal é: isso fortalece ou enfraquece?

Tem algo a ver com a energia?

Tem, assim que vejo que alguém está cheio de energia, paro. Senão a energia decai.

Como o senhor confere os resultados do seu trabalho? O senhor normalmente trabalha com doentes graves só uma vez, e isso já resolve?

Por que eu deveria conferir os resultados? Se conferisse, seria sinal de que considero a minha intervenção como um fator decisivo.
O fator decisivo não é necessariamente a cura do cliente. Pois eu não sei qual é o destino dele. Ajudo-o a encarar esse destino, mesmo que seja para ele olhar para a morte. E o ajudo a desenvolver as forças que têm poder de cura. Mas considero absurda a idéia de que eu possa mudar o destino dele.

O senhor tampouco está interessado no aspecto científico? Nos dias de hoje, voltou-se a questionar até que ponto a psicoterapia é de fato científica.

Os maiores efeitos podem ser observados no momento da ação, isto é, na própria terapia, quando alguém fica radiante ou mostra-se aliviado. Esse efeito já me basta. Mas como se pode provar cientificamente o efeito de uma constelação familiar em pessoas com doenças físicas? Esses pacientes estão também em tratamento médico e sujeitos a outras inúmeras influências. Se, depois de um ano, eles se sentem melhor, isso não pode ser atribuído somente ao trabalho com as constelações familiares.

Voltando novamente à questão do destino. Com o seu método de trabalho o senhor põe por terra a crença no progresso por meio da psicoterapia, isto é, que é possível mudar o destino de qualquer pessoa e fazê-la encontrar a felicidade.

Sim. Essa idéia de progresso não leva em conta o poder das forças que estão em ação. Existem realmente pessoas que dizem que o mundo está errado e que é tarefa nossa colocar em ordem o que não está certo.

É este o motivo pelo qual o senhor diz que a psicoterapia está em retrocesso?

Entendo a psicoterapia mais como uma ajuda para que a pessoa entre em harmonia com a própria alma. Faço algo para a alma do cliente, para que ele possa entrar em contato com as próprias forças. Isso tem algo de religioso, de espiritual. Quando lhe dou alta, ele está mais em paz consigo mesmo e poderá enfrentar com mais serenidade o seu destino, qualquer que seja ele. Se eu quisesse tomar o destino em minhas mãos, eu seria também, de certa forma, um psicocapitalista.

No entanto, na psicoterapia existem também outras situações. Alguém que tenha uma fobia, por exemplo, pode ser tratado através da terapia comportamental. Nesse caso, está se lidando com um problema definido e o êxito do tratamento pode ser verificado cientificamente. Aqui o terapeuta é aquele que "faz" e o "querer fazer" tem sentido. Mas não é isso que acontece com os grandes problemas que têm a ver com vida e morte, ou no caso de enfermidades graves ou culpa.

Uma de suas afirmações importantes é: "A realidade ajuda".

Sim. A realidade que vem à luz. Eu não faço nada, trago somente algo à luz. Por exemplo, que alguém está seriamente enfermo ou que sua morte está próxima, ou que uma culpa continua a surtir efeito. Não preciso discutir com essa pessoa ou convencê-la. Surte efeito só pelo fato de ter vindo à superfície. Quem aceita a realidade tal como se apresenta atinge a grandeza.

Os filhos pertencem aos pais

A adoção e o incesto

Eu me recordo de um caso num de seus seminários. Ali estava uma mulher que tinha adotado duas crianças e depois teve dois filhos naturais. Após um determinado tempo o senhor interrompeu o trabalho fazendo o seguinte comentário: "Quem ficou por muito tempo num caminho errado já não pode voltar atrás". Isso chocou muitas pessoas.

O choque vem do reconhecimento da realidade.

O senhor disse que a adoção desrespeita a ordem. No entanto, em nossa sociedade ela é considerada um grande ato social e os pais adotivos são muito respeitados.

Se alguém adota uma criança porque não pode ter filhos e quer tê-los dessa forma, isso é uma grande interferência na ordem. Pois os filhos pertencem aos pais. Não considero uma boa idéia dizer a uma jovem mãe: "Em vez de abortar, entregue a criança para a adoção. Nós cuidaremos dela e lhe daremos o que for necessário".

Seria melhor dizer: "Aceite a criança". Se ela e o pai ainda não podem cuidar do filho, os avós maternos ou paternos ou parentes podem ajudá-los, acolhendo-o. Dessa forma pode-se resolver o problema mais urgente e a criança permanece na família. Mas o fato de entregar simplesmente uma criança para adoção ou adotá-la sem necessidade premente gera uma grande culpa.

A adoção é justificada quando as crianças não têm ninguém. Se, por exemplo, ambos os pais morreram ou a criança foi abandonada. É um ato justificado e nobre acolher e criar essa criança.

É uma grande injustiça adotar crianças levianamente e tomá-las dos pais e avós. É uma injustiça, em primeiro lugar, com a criança, que é tomada dos pais e da família. Em segundo lugar, com os pais que estão em dificuldades e dos quais se toma a criança desse modo. E, em terceiro lugar, essa atitude impede que se reconheça o fato de que as pessoas são capazes de arcar com o próprio destino.

Se, por exemplo, uma criança que nasceu num país em desenvolvimento cresce em meio a uma grande pobreza e pessoas estranhas dizem: "Nós vamos salvá-la e proporcionar-lhe uma vida melhor", pode ser que elas não ajudem realmente a criança. Assim não se confia na coragem dela de aceitar a própria família e seu destino. Mas isso pertence à sua grandeza. Observa-se que os pais adotivos sentem-se culpados com essa forma de adoção, pois às vezes pagam a adoção com uma perda na família. Pode acontecer, por exemplo, de perderem um filho natural. Às vezes, a mãe adotiva fica grávida e aborta espontaneamente esse filho, sacrificando-o. Muito freqüentemente os pais adotivos se divorciam e um dos parceiros é sacrificado como resgate pela criança adotada.

Mas existem também centenas ou milhares de casos em que a adoção tem êxito. Existem muitas famílias adotivas e filhos adotivos felizes.

O que digo é válido para adoções levianas, quando alguém quer uma criança para si em vez de confortá-la nos momentos difíceis. Eu me oponho ao abuso da adoção. Se uma criança adotada vê que não tem segurança com os pais naturais, pode reconhecê-los como pais, mas saber que só conseguirá se desenvolver com os pais adotivos. Por outro lado, se os pais adotivos adotaram uma criança e esta não se desenvolve bem — talvez por terem agido levianamente ou desvalorizado os pais da criança —, não podem simplesmente livrar-se da criança. Precisam suportar as conseqüências como o resultado de uma culpa.

Isto é, para o senhor, a adoção é, basicamente, algo com o qual se deve ser extremamente cauteloso.

Exatamente. Eu sou a favor da tutela e não da adoção, porque ela tem um caráter temporário.

Mas o medo dos tutores é de que a criança possa ser tirada de sua guarda a qualquer momento, sem que tenham certeza de que poderão ficar com ela.

Se eles cuidarem bem da criança, certamente ficarão com ela.

Com relação à adoção, o seu ponto de vista terapêutico se opõe à teoria de que as condições sociais da criança são mais importantes do que a convivência com os pais biológicos. Assim como o seu ponto de vista terapêutico, no caso de incesto, vai contra a moral da sociedade. Isso provoca ondas de indignação.

Eu preferiria nem mesmo falar sobre esse tema, porque não importa o que se diga, mexe-se sempre com um vespeiro.

Antes de tudo, o incesto é para mim uma coisa terrível. Entretanto, eu o vejo sempre dentro de um contexto: Quando ocorre e quais as circunstâncias? Quem está envolvido? Pude observar que existe um padrão de relacionamento no qual ele ocorre.

Por exemplo, uma mulher contou num grupo que ela tinha tentado se suicidar. Antes da tentativa de suicídio, ela tinha sido estuprada ou ocorrera uma coerção sexual. Ela própria fez essa distinção. Foi, portanto, mais uma coerção sexual. Ela apresentou a tentativa de suicídio como conseqüência dessa coerção. Disse ainda que tivera um relacionamento incestuoso com o pai desde os onze anos de idade. Eu lhe pedi: "Escolha representantes para você e para o homem acusado de coerção sexual e posicione-os um com relação ao outro". Ela os posicionou de forma que ambos se tocassem levemente com o ombro esquerdo e olhassem em direções completamente opostas.

A mulher que representava a cliente na constelação começou a tremer violentamente. Depois coloquei o representante do pai dela a uma certa distância e deixei-o olhar para os dois. Perguntei-lhe como se sentia vendo outro homem ao lado da filha. Ele respondeu: "Sinto-me melhor".

Em seguida coloquei a filha ao lado do pai. Ela começou a respirar aceleradamente e continuou a tremer. Aí coloquei a representante da mãe ao lado direito do pai, a uma certa distância. O pai, seguindo seu impulso, colocou o braço ao redor da filha e esta o abraçou bem firme e afetuosamente. Era inacreditável o amor intenso que fluía entre pai e filha.

Aí eu disse para a filha que ela deveria reunir forças, endireitar-se, olhar para a mãe e dizer: "Eu faço isso por você e suporto essa situação por você". Ela disse isso e era verdade. Então pedi a ela para dizer ao pai: "Eu o deixo com a mamãe. Esse é o seu lugar. Eu sou somente a filha". O representante do pai chorou amargamente e disse que sentia um amor profundo pela filha. No entanto, pedi para que ele dissesse: "Sinto muito. Assumo a responsabilidade por tudo o que fiz e deixo-a ir agora com amor". A representante da filha disse então que percebia o quanto amava o pai. Pedi-lhe para dizer ao pai: "Eu o amei muito e fiz isso com prazer por você, mas agora me retiro". E assim fez. Então ela disse ao homem que acusava de coerção sexual. "Eu o usei. Sinto muito. Agora deixo-o partir e afasto-me de você". Depois pedi a ela para dizer à mãe: "Eu me afasto de você". No final, todos ficaram sozinhos e a filha se libertou. Nesse caso eu não acusaria ninguém. Mas a culpa era absolutamente clara.

A culpa era de quem? Da mãe?

E do pai. De ambos. Não posso explicar o que aconteceu nesse caso e também não quero. O meu interesse era encontrar uma solução para todos. Agora, alguém poderia vir e dizer: "Mas não se pode fazer isso!" Mas com quem essa pessoa está preocupada? Com a vítima? Quer ajudar a filha? Ou é só sede de vingança? E, nesse caso, vingar-se de quem? E o que se ganha com a vingança? Como vai se sentir a filha então? As ligações mais profundas se perderão de vista.
Quando olhei para o pai e a filha nessa constelação, ficou claro para mim que alguma outra coisa acontecia por trás. Quero explicar com um exemplo.
Num curso para conselheiros matrimoniais, um homem montou a constelação familiar e veio à luz que ele queria deixar a família. Nesse ponto, interrompi o trabalho e o homem ficou muito consternado.
Depois de algum tempo ele telefonou para mim e disse que sabia agora por que queria deixar a família. A irmã gêmea dele tinha morrido logo após o nascimento e ele queria segui-la. Ele dera à irmã um lugar ao seu lado e agora podia ficar à vontade e feliz com a família.
Alguns meses depois, ele me telefonou novamente e disse que percebera uma coisa muito mais importante. Estava tentado a cometer incesto com a filha. Com isso ficou repentinamente claro para ele que a sua filha estava representando para ele a irmã gêmea. Depois disso, ele não sentira mais nenhuma tentação com relação a ela.
Quando alguém aborda a problemática do incesto, norteando-se por conceitos morais, não percebe as conexões mais profundas. Acima de tudo, não consegue ajudar ninguém. Pode, quando muito, castigar. En-

tão existem os bonzinhos, os vilões e os vitoriosos. Mas provavelmente deixa um campo em ruínas na alma.

De acordo com o que tenho visto nas constelações, a mãe desempenha sempre um papel importante em tais casos. A sua afirmação de que as mulheres são "a eminência parda" — as conspiradoras não-oficiais — em casos de incesto causa grande indignação. O senhor estava justamente falando da culpa. As mulheres são então culpadas em casos de incesto?

Não estou interessado em atribuir a culpa nem ao pai nem à mãe. Só procuro trazer à luz uma dinâmica oculta e encontrar uma forma de ajudar todos os participantes a encontrar uma solução para os emaranhamentos.

Uma das dinâmicas mais comuns no incesto é a necessidade de compensação. Freqüentemente, nesse tipo de família a mãe se afasta do marido, não porque seja má esposa, mas porque percebe, por exemplo, que quer deixar a família. Talvez ela esteja querendo seguir um irmão ou irmã falecidos, por exemplo. Ao mesmo tempo, ela se sente culpada e, para poder partir, procura um substituto. Então uma filha toma o lugar dela. Mas não porque a mãe a force a fazer isso. É uma dinâmica secreta, um acordo secreto. Acontece inconscientemente, tanto para a mãe quanto para a filha, por isso é tão difícil de se compreender.

A culpa é, primeiramente, do pai, porque ele sabe o que está fazendo, mesmo que não tenha consciência dos motivos sistêmicos ocultos. A mulher em geral não sabe o que está fazendo, porque seu papel permanece inconsciente.

Isto é, a mãe está emaranhada e o pai carrega a culpa.

Todos nós estamos emaranhados. No entanto, para mim é válido o princípio: O que quer que alguém faça, não importa o quanto esteja emaranhado, precisa arcar com as conseqüências de seus atos. Portanto, eu não tiraria a culpa dos ombros de um homem só por causa de seus emaranhamentos.

O senhor também não diria que a mulher é culpada, que ela o levou a fazer o que fez.

Não. Ele não pode empurrar a culpa para a mulher. Mas fica claro que a mulher também está emaranhada, portanto ela tem de aceitar a sua parte da culpa e dizer à filha: "Sinto muito, eu a entreguei a seu pai, mas eu não sabia que estava fazendo isso. Por mim, você está livre e dou-lhe a proteção de que você precisa retomando agora o meu lugar como mulher". Mas ela não pode fazer isso com a intenção de atacar o marido. Isso não é possível, se ela compartilha da culpa.

É extremamente importante fazer essas diferenciações sutis e discutir sobre o incesto também num nível diferente daquele sociopolítico da guerra entre os sexos.

Exatamente. Ajudo cada indivíduo a sair de seu emaranhamento, nada mais. Permaneço em meu campo.

O senhor é criticado em dois níveis. As mulheres geralmente dizem: "Pois sim, agora a mulher é também culpada do incesto. As mulheres sempre levam a culpa e os homens são protegidos". Eu acho que isso é um mal-entendido. Transfere-se a questão para o nível sociopolítico, quando ela pertence ao campo psicoterapêutico, onde seriam feitas essas diferenciações sutis.
Alguns também criticam a ordem que o senhor supõe existir por trás dos casos de incesto, considerando-a patriarcal. "A ordem sistêmica de Hellinger é patriarcal e funciona dentro desse sistema patriarcal, mas sempre às custas da mulher."

Isso também é um mal-entendido, mas eu não quero tratar desse assunto no momento.
Gostaria de mencionar mais um aspecto a ser considerado para a solução nos casos de incesto. Através da experiência sexual, surge um vínculo entre o agressor e a vítima. Esse vínculo acaba impedindo a criança de se entregar plenamente a um outro parceiro no futuro. Esse primeiro vínculo é bem profundo. Por isso é importante a filha dizer: "Eu me afasto de você agora" e o pai, por sua vez, dizer: "Eu a deixo partir e arco com a culpa". Isso desfaz o vínculo.

Nessa solução, a filha também diz: "Eu fiz isso por você, com prazer". Por quê?

Nem sempre é assim. Mas se a frase traz uma solução é porque a filha entra em contato com o amor que tem pelo pai. Pois o amor estava lá. Se esse amor é reconhecido a filha pode se afastar dignamente e se entregar com amor a um outro homem, como mulher. A condenação tem efeito negativo porque perpetua o vínculo em vez de desfazê-lo.

O senhor diz que na área terapêutica não é apropriado condenar o homem. Quais as implicações disso para o terapeuta?

Nem o homem nem tampouco outra pessoa. Se o terapeuta quer intervir no âmbito social, por exemplo, denunciando um agressor, não consegue mais ajudar em um âmbito pessoal. Darei a você um exemplo.

Um casal ficou com a tutela de duas crianças e uma delas tinha sofrido abusos por parte do pai, que estava na prisão. A tutora dessa criança tinha sido, anteriormente, a terapeuta dessa família. Quando ela montou a constelação, perguntei-lhe se tinha participado no processo de prisão do pai. No início ela negou, depois disse: "Na verdade, não foi sincero de minha parte dizer que não tive participação nessa prisão".

Coloquei então os representantes da mãe e do pai naturais voltados para fora e a representante da filha atrás do pai, como se quisesse segui-lo. Esse foi o único lugar em que ela se sentiu bem. A mensagem era clara: ela queria seguir o pai que tinha sido condenado. Então mudei o pai de posição e coloquei a filha ao lado dele. Ficou evidente para todos o seu profundo amor pelo pai.

Essa terapeuta, que agora é a tutora das crianças, não pode mais ajudá-la, nem estar presente quando ela necessitar. Ela interferiu onde não podia.

O que o senhor disse a ela?

Eu disse que ela deveria devolver a criança.

Aos pais?

Não, para outra pessoa. Ela não pode ficar com a criança. Esta precisa ir para um outro ambiente. Eu coloquei a tutora em frente ao pai e pedi que dissesse: "Dou-lhe um lugar em meu coração". Ela não conseguiu dizer isso. Então interrompi a constelação. Mas ela era uma mulher sensível. Notei o quanto isso a afetou e tive a sensação de que iria lidar bem com essa situação. Mas isso mostra novamente o quanto é perigoso misturar o trabalho terapêutico com a vida particular das pessoas. O terapeuta não pode intervir desse modo. As autoridades é que têm de interferir. Elas têm o direito e a obrigação de fazer isso.

A sexualidade é maior do que o amor

O amor, a violência e os vínculos

Muitos tabus sexuais desapareceram no decorrer dos últimos 30 anos. Parece-me que vivemos numa época em que não se tem mais desejo. Que papel desempenha a sexualidade?

Nós vivemos com uma sexualidade domesticada. Nós a domesticamos e fizemos de um rio turbulento um canal de águas paradas. Por querer tê-la inteiramente sob controle, nós também a despojamos da sua grandeza e de suas conseqüências.

A morte

A consumação do ato sexual é a base de toda a vida. É o ato mais poderoso dos seres humanos. Ele ocorre em face da morte, pois a sexualidade é necessária porque existe a morte.
A sexualidade revela a transitoriedade da vida. Um casal que concebe filhos sabe que os filhos sobreviverão a eles e que terão de abrir espaço para esses filhos. A sexualidade também é perigosa. Os pais sabem que a gravidez e o parto são experiências perigosas que podem custar a vida de uma mulher. Antigamente, com muito mais freqüência, mas ainda hoje existe esse risco. E, nesse sentido, a sexualidade também acontece em face da morte.
Existe uma estreita relação entre sexualidade e morte. Na verdade, a consumação do ato sexual no sentido mais profundo somente é possível quando acontece com a plena consciência da morte. Ele é uma espécie

de presságio do fim do relacionamento e do fim da vida. Ganha em intensidade justamente por causa da consciência de que o relacionamento também termina com a morte. Mas quando um casal se entrega a esse ato com essa consciência, algo deles sobrevive. Isso dá à sexualidade a sua grandeza.

O que o senhor descreve pressupõe duas coisas: Em primeiro lugar, que a sexualidade é consumada com amor. Hoje em dia não se pode mais partir desse princípio. Em segundo lugar, que ela acontece com a finalidade de se conceber um filho.

Pode ser, mas mesmo assim essa é a base da sexualidade. A sexualidade tem o mesmo efeito mesmo sem amor. A concepção pode acontecer sem amor e, mesmo assim, é tão grandiosa como quando acontece com amor. O resultado não se altera pelo fato de haver ou não amor. A sexualidade vem antes do amor. Ela é maior que o amor. Muitas pessoas prefeririam que fosse o contrário, mas o vínculo que se estabelece num nível profundo está além do amor. É como o destino.

A violência

Por exemplo, mesmo no caso de um estupro, a sexualidade não perde a sua grandeza. Ela não se torna nefasta nem é afetada por esse ato. As circunstâncias é que são negativas. A sexualidade tem, todavia, efeitos bem profundos, que não podem ser anulados. Às vezes uma mulher que foi violentada fica grávida. Mesmo que a criança seja abortada, os efeitos são irreversíveis. O aborto não apagará a lembrança do estupro, nem desfará o vínculo estabelecido por ele, nem anulará a maternidade ou a paternidade. As conseqüências permanecem, independentemente de nosso julgamento moral.

Mas a questão é: Como ajudar os envolvidos a colocar as coisas em ordem? Uma criança que é fruto de um estupro deveria dizer ao estuprador: "Você é meu pai e eu o tomo como pai". O que pode dizer se não isso? Não pode dizer: "Você não é meu pai" ou "Eu não o tomo como pai". Isso não teria sentido. Portanto: "Você é meu pai e é também a pessoa certa para ser meu pai. Não existe nenhum outro para mim". O mesmo deveria dizer para a mãe.

Se a mãe quiser colocar em ordem para o filho as conseqüências negativas de um estupro, ela deveria dizer ao homem: "Você é o pai do nosso filho. Eu o tomo e o respeito como pai do nosso filho".

Por que ela deve respeitá-lo se foi um ato violento?

Ela deve respeitá-lo como pai da criança que eles têm juntos. O resultado está ali e é visível. Nessa criança, a mãe sempre verá também o pai. Se ela não quiser vê-lo na criança, estará rejeitando o filho. Nesse caso, ela não estará olhando para o resultado, mas apenas as circunstâncias.

Somente quando ela vê o acontecimento num contexto amplo, no sentido de que esse ato violento resultou em algo positivo, ela pode concordar e dizer: "Agora posso me reconciliar com esse acontecimento terrível porque olho para o bem que daí resultou". Se ela conseguir dar esse passo, conseguirá olhar com amor para o filho. E esse filho também conseguirá tomar também o pai. Quando a mãe rejeita o pai refletido no filho, é muito difícil para a criança aceitar e tomar o próprio pai. Se a mãe quer o bem do filho, precisa olhar para o pai dele e respeitá-lo.

Não basta que ela ame o filho e, dessa maneira, se reconcilie com as circunstâncias?

Não, isso não é suficiente. Para amar o filho ela precisa olhar para ele. Olhando-o, vê nele o pai. Se ela despreza o pai da criança, despreza também o filho. Esse é o outro lado. O filho não vai tolerar que o pai que existe nele não seja amado. Se não for, por lealdade ao pai, vai-se tornar como ele.

E a mulher não conseguirá amar o pai na criança se não amar o estuprador?

Amar significa, nesse caso, respeitar que algo de grandioso aconteceu, não importa sob que circunstâncias. A culpa não vai ser, com isso, redimida. De forma alguma. Mas será vista num contexto mais amplo. A mulher reconhece que aconteceu algo de grandioso que alterou a vida dela e gerou uma nova vida. Ela concorda agora com isso, assim como é, e também com as circunstâncias sob as quais isso aconteceu. É uma forma de profundo respeito pelo destino.

O que o senhor diz não corresponde à idéia que se costuma ter do amor.

Tem algo a ver com: "O amor é tão forte quanto a morte". A mulher sente, através do estupro, a proximidade da morte. Ela esteve à mercê de uma violência além de sua possibilidade de controle. No entanto, com isso originou-se um vínculo.

Se, apesar de seu sofrimento, a mulher for capaz de reconhecer o vínculo e as suas conseqüências, ela adquirirá uma força e dignidade especiais. Imagine só, uma mulher capaz de dizer ao filho: "Por você, respeito o seu pai, não importa o que aconteceu. Fico feliz que você exista e portanto aceito o que aconteceu, assim como foi". Que grandeza existe nisso. E como se sentirá o filho?

Normalmente, do estupro não resultam filhos. Na maioria das vezes, a mulher nem mesmo conhece o estuprador. Isso modifica a situação?

O vínculo

Mesmo esse tipo de estupro estabelece um vínculo. Num grupo, uma mulher montou a constelação de uma família na qual tinha ocorrido incesto. Ela era a terapeuta dessa família. Quando ela estava montando a constelação, começou a chorar copiosamente.
No dia seguinte, ela veio e me disse que, durante a constelação, lembrara-se de que tinha sido violentada quando jovem. Durante a noite, compreendeu repentinamente quanto amava esse homem e que poderia agora libertar-se dele através desse amor.
Nesses casos, é difícil esquecer nossos conceitos morais e reconhecer que essas experiências têm um efeito profundo, queiramos ou não.

Quando o senhor fala em vínculo, isso não tem nada a ver com moral. Não tem nada a ver com casamento ou amor. Do que se trata, então?

São processos da vida. Não tem nada a ver com o bem ou com o mal. Eu descreveria como um fenômeno natural.

Como a força natural das ondas e da água?

Exatamente. Não se pode dizer às ondas como elas têm de fluir. Mas pode-se ver como elas fluem.

O que o senhor diria para um estuprador?

Até agora nenhum estuprador procurou a minha ajuda. Mas, se um deles a quiser de fato, sei exatamente o que lhe diria.

Em primeiro lugar, que ele precisa olhar a mulher nos olhos, fazer uma profunda reverência e dizer: "Eu lhe fiz mal. Sinto muito. Dou-lhe o meu respeito e um lugar em meu coração".

Em segundo lugar, eu diria que ele precisa reconhecer que a sua culpa não pode ser anulada. O homem pode ter respeito pela mulher e pelo filho somente quando reconhece a sua culpa, levando em conta inclusive as conseqüências negativas, como ser condenado por isso, por exemplo. O estuprador é geralmente alguém que tem medo da mulher. O medo é dissimulado pela violência. O machista tem esse mesmo medo oculto. Porém, num nível mais profundo, esse medo tem a ver com o sentimento da proximidade da morte. Não no sentido de que vá morrer, mas o pressentimento de que se vá tocar em algo profundo.

Wagner expressa isso maravilhosamente em Siegfried. Quando Siegfried desperta Brunhild, ele ainda não conhecera o medo. Repentinamente, é acometido pelo medo. No fundo, sente um medo mortal, não o medo da morte, senão um medo que tem a ver com a grandeza da morte. Ele chama pela mãe que morreu durante o nascimento dele. Desse modo reconhece que tudo aquilo que tem relação com a mulher tem também relação com a morte, da mesma forma que a vida dele custara a vida da mãe. Toda essa premonição do perigo, da grandeza e do risco ligado a isso, e também do que significa ser mulher e mãe, é pressentida num nível profundo com essa experiência.

Mas o estupro é simplesmente um acontecimento traumático.

Seja o que for, da maneira como o descrevo, o acontecimento traumático pode ser curado ou pelo menos amenizado para a mulher. Qualquer outra tentativa de abordagem — acusações ou humilhar a si mesma, por exemplo — tem exatamente o efeito oposto. Prende a mulher ao acontecimento.

O *instinto*

Também na natureza, a sexualidade tem algo de violento. Nesse caso, está em jogo um instinto que pertence à vida e a impele para a frente, mesmo com violência.

Mas uma das conquistas do ser humano tem sido domesticar esse potencial violento.

Essa é uma grande conquista. Mas o fato de precisarmos domesticar a sexualidade nos mostra o poder dessas forças.

Esse pode ser um dos níveis. Por outro lado, quem precisa apossar-se de uma mulher através do estupro parece-me ser doente.

Certamente que é. Mas, acima de tudo, isso contradiz as nossas normas e conquistas. É algo que não queremos e que tentamos evitar. Para a proteção das mulheres. Tudo isso está certo. Porém, não seria justo relegar a sexualidade violenta somente para o âmbito patológico.

O estupro é sempre vivido pelas mulheres como algo devastador.

Pode ser algo devastador. A sexualidade que se origina do amor também pode ser devastadora, como no caso em que a mulher morre de parto. Nesse aspecto, não existe diferença. É sempre algo que nos toca fundo e nos ameaça.

Quando vemos a sexualidade em sua grandeza, em sua pujança e violência, conseguimos lidar com ela de forma mais respeitosa. Quem pensa que pode acorrentá-la com leis e proibições não reconhece a nossa impotência perante o seu poder.

Mas o estupro não pertence com certeza a essa categoria.

Pelo amor de Deus! No entanto, esse exemplo mostra-nos claramente que devemos ver a sexualidade num contexto muito mais amplo. Num sentido profundo, somos violentados e subjugados pela sexualidade. O fato de que ela também pode assumir essas formas extremas encontra-se em sua natureza e não na natureza de um agressor em particular.

E onde está a alegria?

No fato de sermos carregados por uma grande corrente e de nos deixar ser levados por ela.

O senhor disse no começo: "Nós domesticamos a sexualidade". O que quer dizer com isso?

Através dos métodos anticoncepcionais a sexualidade tornou-se algo facilmente disponível, sem as conseqüências originais. Se a concepção é aceita como possibilidade e risco, então tem uma outra força e profundidade. Não é que ela deva ser só assim. Mas deve-se ver que existe uma diferença entre vê-la como algo que pode resultar num filho ou como uma mera questão de amor ou prazer entre um casal.

O pecado

A sexualidade está domesticada também de uma outra maneira. Ela foi transformada em pecado. Isso também é uma forma de domesticá-la. E voltando novamente ao incesto. Ele é descrito por algumas pessoas como um ato pelo qual se mata a alma da criança. Isso é, na verdade, uma idéia estranha, quando se sabe o que a sexualidade significa para a vida. Se uma criança entra em contato tão cedo com a sexualidade, também entra em contato bem cedo com a pujança da vida, mesmo que seja de uma forma ameaçadora.

A pujança da vida também pode matar a delicada alma pueril.

Pode sim, assim como a sexualidade pode também matar em outras situações. Mas quem sobreviveu a essa experiência passa a ter uma profundidade e uma força que as outras crianças não têm.

Justamente o que nos prejudica nos dá força?

Não, não dessa forma barata. Quero ilustrar, mais uma vez, com um exemplo: muitas prostitutas são jovens que sofreram abuso sexual. Elas dizem inconscientemente ao pai: "Se alguém deve assumir a culpa, então eu prefiro que seja eu". Se eu, como terapeuta, trago à luz esse lado, a jovem reconhece a grandeza do seu amor e o que fez por ele. Quando isso vem à luz, o semblante da jovem adquire um resplendor singular e pode-se sentir a força dela. Uma criança inocente não poderia passar por essa experiência. Naturalmente seria absurdo achar que o incesto fez bem a ela. Não se trata disso. A expressão: "Isso mata a alma da criança" serve mais como uma arma contra o agressor e não faz justiça à criança. As minhas considerações servem para ajudar a ver a alma da criança que sofreu abuso e ajudá-la a recuperar a sua dignidade.

O senhor testemunhou isso com mulheres que sofreram abuso sexual?

Vi isso em muitas delas. Quando o trauma do incesto é superado, elas adquirem uma dignidade e uma força especiais. Mas com a condenação fica muito mais difícil superar essa experiência. Dessa forma perpetua-se muitas vezes a ferida, sem chegar à cura.

O senhor diz que os métodos anticoncepcionais alteram a sexualidade e tiram, de certa forma, algo de sua profundidade. Mas a separação entre sexualidade e procriação representa uma grande conquista para as mulheres porque a ligação entre a sexualidade e a morte é, acima de tudo, uma experiência feminina e não masculina.

Por um lado é uma conquista e, por outro lado, é também uma perda.

Será mesmo? A descoberta do desejo feminino e do prazer sexual sem conseqüências é para as mulheres uma vantagem, não é?

O prazer feminino não foi descoberto nos últimos 30 anos, foi no máximo redescoberto. Era malvisto num determinado contexto cultural. E a senhora tem a certeza de que a sexualidade sem compromisso realmente não tem conseqüências? Pode-se observar nas constelações familiares que não é isso o que acontece. Mas não vamos tratar disso agora. O importante é que a sexualidade não ocupa mais a mesma posição de antes. Ela desperta menos atenção, apesar da libertação.

Isso tem certamente a ver com o fato de que já não a levamos tão a sério e de que perdeu muito de sua função anterior como expressão de amor, de união, de afirmação e estabilidade. A sexualidade desvinculada do relacionamento perde o seu significado de plenitude.

Não acredito nisso! Muitos casais sofrem por causa de sua falta de desejo e almejam a satisfação. Quero simplesmente contestar que a sexualidade tenha perdido o seu significado de plenitude. Acredito mais que nós perdemos isso de vista devido ao nosso atual estilo de vida. A nossa vida se baseia em tudo, menos na sensualidade. Além do mais, não temos nenhuma cultura do amor físico nem uma verdadeira cultura do amor.

A sexualidade significa plenitude quando é a expressão de um relacionamento. O amor seria cultivado, portanto, quando um homem e uma mulher se olhassem nos olhos enquanto se amam. Não seria, então, necessário perguntar: "O que vamos fazer agora para aumentar o nosso prazer?" Seria ridículo.

Exatamente. Essa seria a abordagem clássica dos anos 60. "Agora vou mostrar como funciona a mulher e como funciona o homem." Isso não tem nada a ver com a alma. A arte do amor tem um outro significado. Tem a ver com a entrega.

A sexualidade satisfatória é também um processo da alma. Se a alma está em sintonia, a sensualidade flui por si só. Mas o contrário também acontece. Se a sexualidade resseca, às vezes faz ressecar também a alma.

Almas ressecadas não precisam continuar secas. Existem caminhos para as pessoas nutrirem a alma, reconquistando o prazer.

Sim, mas isso só acontece quando a sexualidade está ligada ao amor. Muitas vezes, entretanto, a abstinência pode ser um aspecto da sexualidade que tem a ver com o respeito e com uma concentração interior. Pois todo relacionamento humano é ao mesmo tempo um processo em direção à morte. Quando algo morre em nós — uma ilusão, por exemplo —, nós nos aquietamos e ficamos mais descontraídos no relacionamento. Algumas vezes, esse processo é acompanhado de um desinteresse por sexo. Mas isso pode fazer com que algo novo, especial, emerja num nível mais profundo.

A indignação não traz nada de positivo

A política e o engajamento

O senhor voltou em 1969 para a Alemanha. Isso significa que ainda testemunhou o movimento estudantil. O senhor tinha simpatia por esse movimento? Historicamente, acho que foi um movimento decisivo para a Alemanha.

De fato ele foi, para a sua geração. Mas para a minha geração, que passou por experiências bem diferentes, foi algo passageiro.

Existem algumas pessoas da sua geração, talvez um pouco mais jovens, que dizem ter respirado aliviadas porque toda a história do nazismo pôde ser finalmente discutida abertamente.

Para mim não foi o que aconteceu. Para começar, não participei desse lado da história. Eu fazia parte do outro lado. Aos 17 anos, fui classificado pela Gestapo como um "elemento pernicioso para o povo". Além do mais, considero toda essa discussão absurda. Seus argumentos se baseiam nos mesmos princípios dos nazistas. Um grupo se considera superior ao outro e acha que é preciso uma mudança. Aqueles que se sentem no dever de melhorar o mundo têm todos uma energia agressiva semelhante. As circunstâncias são diferentes, mas o fervor e o desejo de destruição, digamos, os ataques e as lutas nas ruas diferenciam-se muito pouco do que eu vi com os nazistas.

Mas o motivo era outro.

Em 1933, o movimento começou de modo bem semelhante ao que a senhora descreveria, provavelmente, como o da geração de 68. Havia o mesmo vigor e o sentimento: "Agora chegou a nossa vez, velha guarda!"

Os jovens dos anos 70 eram crianças incandescentes. O movimento começou com o "Flower Power" e passou para as creches em sistema de mutirão e as escolas livres, até chegar aos primórdios do movimento feminista, à música, ao consumo de drogas e ao amor livre.

Os nazistas também tinham um movimento juvenil, de volta à natureza, ao campo... Adeus à dependência das reparações de guerra e à ocupação da Renânia. Adeus ao Tratado de Paz de Versalhes. Tudo isso estava ligado a um sentimento de liberdade.

Isso me irrita de verdade. De acordo com a minha visão da história, o movimento de 68 contribuiu para tornar a nossa sociedade mais democrática e mais tolerante.

Comparo esses movimentos, assim como comparo as religiões. Em sua expressão emocional, eles são semelhantes, independentemente do conteúdo de cada um.

Mas o lado emocional é algo diferente do lado político. Essa diferenciação parece-me ser importante. Assim como existe a área terapêutica e a particular, também acho que existem níveis diferentes nos quais pode-se avaliar tais movimentos no contexto da história contemporânea. Um deles concerne aos ânimos. O outro é a essência política ou o efeito político num âmbito histórico. E isso deve ser diferenciado.

A indignação

Sou muito cauteloso com relação a isso. Todos aqueles que se acham superiores me inspiram suspeita. Isso vale também para os movimentos.
Veja os esforços que foram feitos para superar o passado na Alemanha Oriental. Alguns que anteriormente foram vítimas perseguem os agressores com um fervor semelhante ao daqueles que os tinham perseguido antes. Para mim, entretanto, o progresso humano está ligado ao fato de podermos dizer uns aos outros após tais experiências: "Seja lá o que tenha acontecido, vamos nos dar o direito de ter um novo começo".

Mas, e as vítimas? E os dissidentes importantes ou menos importantes, ou simplesmente os não-conformistas que foram espionados, intimidados e aniquilados pela Stasi*?

Aqueles que, indignados, passaram a perseguir seus algozes também esquadrinham a vida dos outros e desejam-lhes mal. A indignação não traz nada de positivo, ela visa aniquilar os outros.

Mas essa indignação é conseqüência do que essas pessoas sofreram. Isso não faz diferença para o senhor?

Quando uma pessoa acha que seu sofrimento lhe dá o direito de causar mal aos outros, ela anula todos os efeitos positivos que esse sofrimento poderia surtir sobre a alma dela.

Para mim, só podemos superar o passado quando nos colocamos ao lado das vítimas e choramos com elas, sem atacar os agressores. Chorar é uma atitude humilde. Nesse caso, ninguém é atacado. É completamente diferente de dizer: "Olhe que coisa terrível vocês fizeram!" Para mim, essas acusações são uma arrogância injustificável. Acima de tudo, não ajudam em nada.

Como se pode organizar esse "choro" num nível social?

Pode-se fazer algo como o que fez Willy Brandt, ao cair de joelhos na Polônia. Foi um gesto sem nenhuma pretensão, somente uma reverência às vítimas. Desse gesto emana ainda hoje um poder de cura. Mas as reprimendas do tipo "Não voltem a fazer a mesma coisa!" têm exatamente o efeito oposto. Elas encolerizam a alma.

Isto é, não existe nenhuma possibilidade de se lidar com o passado por meio da discussão.

Não com acusações e indignação. Observei que muitos que exigem esses debates sobre o passado se sentem superiores. Desconfio desses sentimentos. Quando procuro soluções para amenizar o sentimento de horror, coloco em primeiro plano as vítimas e mostro a minha solidariedade com relação à tristeza delas. Daí vem a força que surte efeitos benéficos. Entretanto, isso tem de ser feito com modéstia, sem grandes pretensões.

---

* Stasi (Staatssicherheitspolizei): polícia secreta da antiga Alemanha Oriental (N.T.).

Basicamente, o senhor está dizendo que não existe nenhuma maneira coletiva, social e apropriada de se lidar com o passado?

É claro que sim, caso as pessoas fossem mais modestas e se limitassem à dor. Fico profundamente tocado quando, no Dia Nacional em Memória das Vítimas das Guerras e do Nazismo, a única coisa que se diz é: "Nós lamentamos, lamentamos, lamentamos". Isso é apropriado. Aqui se compartilham sentimentos. Por isso sou também a favor de se prestar honras aos túmulos daqueles que morreram na guerra. Aqui acontece algo bem simples. Os mortos são reverenciados, não importa quem sejam.

O que acontece com os agressores? De onde vem essa necessidade humana de vingança? Essa indignação simplesmente brota no peito?

Eu notei que, normalmente, a indignação não vem das vítimas, mas daqueles que se acham no direito de representar as vítimas. Eles reclamam ilicitamente para si o direito de ficar zangados com os agressores, sem ter passado pelo sofrimento. Como recebem o apoio da maioria, nem mesmo correm o risco de serem responsabilizados pelo desejo de vingança contra os agressores. Aqui existe uma curiosa semelhança entre os indignados e os agressores, exatamente aqueles que são criticados. Os primeiros consideravam-se superiores e por isso se sentiram no direito de atacar e aniquilar os outros.

A humildade

De onde vem a necessidade de vingança? É também uma maneira de lidar com a indignação contra a injustiça?

De onde ela vem? Isso também me pergunto. Essa necessidade vai contra o bom senso.

Mas é um sentimento bem intenso. Uma criança que é atropelada por um motorista bêbado ou o vil procedimento dos espiões da Stasi ou dos guardas dos campos de concentração, que atiravam contra os prisioneiros como se estes fossem coelhos. Isso provoca sofrimento e uma indignação justificada. Esse impulso espontâneo: "Ele deve ser castigado" ou quando se sente a vontade de agredir fisicamente ou se pensa: "Que patife, como se pode ser tão cruel e tão irresponsável?" Esses são sentimentos humanos, não são?

No nível em que se pensa que algo deve ser feito — "isso tem de ser vingado, isso nunca mais pode acontecer" —, prevalece a idéia de que os agressores agiram por conta própria. Portanto, o motorista bêbado matou a criança ou Eichmann organizou a aniquilação dos judeus. Vejo isso num outro nível. Vejo todos no nível de destino, que permite que todos ajam, sofram e morram, cada um à sua maneira. Todos nós estamos à mercê do destino e o servimos. Mesmo assim cada um de nós tem de arcar com as conseqüências de seus atos.

Todos os movimentos que querem melhorar o mundo, revolucioná-lo ou reformá-lo, partem da ilusão de que: "Eu posso fazer isso, esse poder está nas minhas mãos". Perde-se o contato com aquilo que age nas profundezas e o resultado geralmente é terrível.

Mas, se eu me recolho e confio nas forças profundas, irradio algo que afeta os outros de uma forma pacífica, moderada e reconciliatória.

Sempre fui levada a acreditar que, se você se esforçar, pode alcançar tudo o que quiser. Se todos nós cuidarmos do meio ambiente, ele permanecerá limpo; se lutarmos contra a injustiça social, o nosso convívio vai melhorar e o mundo será mais justo. Em última análise, tudo depende de nós. Se você não luta contra essas coisas, não está vivendo da forma correta. Esse pensamento progressista é totalmente estranho para o senhor?

Isso tudo é uma ilusão. A pergunta é: Como isso funciona na prática? Pode-se aprender, em vez disso, a observar mais cuidadosamente em que circunstâncias acontece algo de positivo. Se eu fizer isso, não vou mais achar que algo seja bom só porque eu gostaria que fosse bom. Observo os efeitos após algum tempo e então vejo se alguma coisa tinha realmente valor e o quanto ainda resta dos sentimentos anteriores. Esse é um método cuidadoso, empírico, que tem um efeito elucidativo e moderado sobre desejos e ilusões pretensiosos. Assim não vou além da realidade experienciável.

Mas nós sabemos que as pessoas normalmente só experimentam o que querem experimentar. A nossa visão de mundo é determinada pelo nosso modo de ver.

Exatamente. Por isso sou bem cauteloso com os que se consideram melhores do que os outros. Os movimentos entusiásticos têm objetivos utópicos que ainda não foram comprovados pela experiência. Isso estreita a visão e o resultado é modesto e triste. Quando as pessoas se sentem convocadas a fazer algo de especial e tentam impor isso à força, geralmente isso acaba gerando algo ruim em outro lugar. A menos que sejamos comedidos e concentrados, fica difícil prever que tipo de coisa vai resultar do nosso envolvimento.

O que o senhor quer dizer com isso?

Tome como exemplo as tentativas de solucionar o problema da fome na África. Por mais nobre que tenha sido o ideal de ajudar, o resultado pode ser muitas vezes deprimente.

Esse engajamento apaixonado sempre faz com que focalizemos um determinado aspecto da vida e deixemos, inevitavelmente, outras coisas de lado. Isso também causa um certo desequilíbrio, pelo menos por um certo tempo. É como o que acontece quando a gente se apaixona. Deixar-se levar por esse engajamento não é também uma capacidade humana especial?

Na maioria dos casos, trata-se de movimentos juvenis que decorrem de modo mais ou menos idêntico de geração a geração. Eu, que tenho 70 anos, vejo um movimento de modo diferente daquele que está participando dele. Não se pode esperar que eu me junte a ele com entusiasmo. Eu observo e vejo que já houve algo semelhante e que esse provavelmente também cairá no esquecimento e passará a pertencer ao passado, assim como os outros.

O serviço

As pessoas engajadas nesses movimentos acham que é possível fazer com que uma determinada idéia prevaleça ao longo do tempo mantendo o controle da situação. Eu os vejo mais como movimentos históricos que nos chamam a servir, para o bem e para o mal. Considero essa idéia de que as pessoas têm liberdade de ação como algo completamente ilusório. Ninguém pode ir contra o movimento geral da história.

Nossa vida é controlada?

Eu diria que somos chamados a servir. É uma outra coisa. Os movimentos negativos são pelo menos tão importantes, para o nosso desenvolvimento, quanto os positivos. Assim como os movimentos positivos têm efeitos negativos, os movimentos negativos também têm efeitos positivos, que não podemos controlar. Tudo isso está além daquilo que uma pessoa possa planejar ou impor.

Minha posição básica é: Concordo com o mundo tal como ele é. Não julgo um movimento ruim e outro bom. Vejo ambos ligados a um processo superior ao qual me submeto. Algumas vezes faço parte de um movimento bom, outras vezes de um ruim. Muitas vezes, nem o sei e, mesmo se soubesse, não faria nenhuma diferença.

O senhor concorda também com os terríveis acontecimentos causados pelos nazistas? Que espécie de assentimento é esse?

Quando digo que concordo, alguém pensa imediatamente que considero isso bom. Não se trata disso. Concordar aqui significa simplesmente para mim: Concordo com os movimentos assim como a história os apresenta, sem ter a pretensão de julgá-los.

Procuro nesses movimentos o meu lugar; algumas vezes sigo com eles, outras me afasto. Encarar o mundo dessa forma é o que entendo por humildade. Assim estou muito mais centrado e tenho mais força para fazer o que for possível em minha área. Não ultrapasso os limites.

Estamos falando do nível sociopolítico. Esse tipo de pensamento torna impossível qualquer forma de política.

Quem sabe? Depende do efeito. Vou relatar-lhe um exemplo. Estive certa vez num grande internato para deficientes mentais, dirigido por uma fundação. Perguntei ao diretor como tinha sido criada essa fundação. Ele me respondeu: Cem anos atrás um fazendeiro se encontrava em dificuldades financeiras e por isso recebeu um tutor. Esse tutor era pietista e tentara ajudá-lo a sair da miséria. Entretanto, a fazenda teve que ser leiloada. Durante o leilão o tutor forçou os lances para o alto e comprou ele mesmo a fazenda.

No domingo seguinte veio do outro lado do lago o pároco e o tutor disse a ele: "Acabei de comprar uma fazenda num leilão. Talvez pudéssemos fazer algo para crianças com debilidade mental" — antigamente denominavam-nas assim. O pároco respondeu: "Não, não tão depressa. Vamos esperar um sinal". Duas semanas depois, ele voltou e disse: "Recebi o sinal. Confiaram-me uma criança débil mental da qual devo cuidar. Agora vamos fazer algo".

A fazenda existe há cem anos. Tornou-se uma respeitada instituição para deficientes mentais e está completamente integrada à região e à população. Aconteceu, pode-se dizer, sem intenção ou planejamento. Isso também é política. Mas uma política num nível bem simples.

Eu abro mão da esperança de uma paz eterna

A ilusão do poder

O senhor diz: as pessoas são chamadas a servir e, às vezes, não sabem disso. Se a história avança como sempre avança, seria, a seu ver, uma presunção da raça humana achar que poderia haver um desenvolvimento para algo melhor?

Naturalmente existe um desenvolvimento, porém, não sabemos para onde ele nos conduzirá. As crianças iniciam seu caminho com esperança, os jovens se engajam, conquistam algo e são contidos e limitados pela realidade. Se reconhecerem os limites talvez possam retroceder para algo mais modesto. Os jovens chamam isso de "burguês". Eu vejo aí a aceitação do mundo como ele é, como uma reconciliação com a realidade.

Quando alguém se casa e tem filhos, fica mais restrito e nota que a sua energia não é infinita. Então faz as pazes com o mundo como ele é. Isso tem para ele um efeito benéfico. Mas os filhos começam tudo de novo.

O senhor agora está falando mais num nível pessoal, familiar. Na sua opinião, existe no nível social algo assim como um desenvolvimento, um aprendizado a partir das experiências passadas?

Naturalmente que existe. Eu não poderia imaginar a democracia alemã, em sua forma atual, sem a experiência do Terceiro Reich. Mesmo tendo sido terrível, surtiu um efeito benéfico sobre aqueles que sobreviveram a ele.

E tudo aquilo teve que acontecer?

Tentar responder a essa pergunta seria para mim uma arrogância. Eu o vejo só como um fato. Heráclito disse: "A guerra é o pai de todas as coisas". Pode-se criticá-lo por isso. Mas a pergunta é: Ele tinha razão? Quando vejo que não se pode evitar esses terríveis conflitos e experiências, eu os aceito. Abro mão da esperança de uma paz eterna.
Vejo os opostos num nível mais elevado. Os assim chamados bem e mal agem em comum acordo num nível superior. Guerra e paz trabalham juntos. Uma orientação política age em comum acordo com outra e servem uma à outra. Vistos dessa maneira, cada movimento, mesmo se quisermos condená-lo, é uma contribuição para o todo.
Para mim, isso significa também que grandes movimentos históricos são inevitáveis. Considero inevitáveis o movimento nazista e o comunismo, mas também o movimento que levou à reunificação da Alemanha. Ninguém tinha nas mãos o poder de contê-los. Trata-se de eclosões de um poder maior que o próprio eu. Muitos daqueles que participaram desses movimentos tinham a idéia de que tinham nas mãos o poder de levá-los adiante e controlá-los. E aqueles que se opunham a eles também tinham essa mesma impressão.
Muitas pessoas hoje acham que alguém pode ter o poder de destruir o mundo com bombas atômicas. Outras, que protestam contra isso, partem do princípio de que têm o poder de evitá-lo. Isso é menosprezar os poderes que atuam no mundo. Nos dois casos, é um erro acreditar que a fonte e o poder de ação está nas mãos do próprio eu. Isso não é suficiente. Apesar de tudo, para mim o protesto e a resistência são importantes. Eles têm de existir. A idéia de que se pode controlar o resultado é que vai longe demais para mim. Por isso, vejo tanto os iniciadores como os oponentes como se estivessem no mesmo barco. Ambos acham que têm as rédeas nas mãos e, provavelmente, ambos estão preparados para exercer a mesma violência. Eles não são diferentes na maneira de pensar. Só no conteúdo.

Nem sempre ambos estão dispostos a exercer a mesma violência.

Não necessariamente, mas é isso o que acontece com mais freqüência. Os nazistas estavam dispostos a cometer atos extremos e a Resistência reconheceu que somente por meio da violência poderia mudar alguma coisa. Na prática, nenhum dos lados era pacífico. O que é naturalmente compreensível, em vista dos crimes cometidos pelos nazistas. Entretanto, não é exatamente uma diferença entre pacífico e não-pacífico. Trata-se de dois guerreiros que lutam entre si e têm de liqüidar um ao outro para impor seu ponto de vista.

O senhor não acha legítimo que em tais situações extremas também as pessoas mais pacíficas estejam dispostas a pegar em armas?

Isto para mim não é uma questão de legitimidade. Existem situações em que a violência é inevitável. Considero uma ingenuidade a idéia de que se poderia e se deveria decidir sobre isso sentado num escritório.

A culpa

Isso significa: Não importa o que se faça, todos somos chamados a servir?

Sim. E o que considero muito importante é que, sem a disposição para assumir a culpa, não existe capacidade de ação. Aqueles que querem permanecer inocentes também permanecem fracos. Seu empenho para ficar inocentes traz até mais sofrimento para os outros.

Mas aqui uma outra coisa é importante. Graças à experiência que adquiri durante minha permanência na África do Sul, onde negros e brancos permaneciam separados, aprendi algumas coisas sobre os grupos. Quando trabalho com famílias ou com grupos grandes, posso ver que as pessoas que pertencem a um grupo que se encontra em grande perigo se levantam contra aqueles do outro grupo. Cada grupo desenvolve uma consciência interior que encoraja qualquer coisa que sirva ao próprio grupo e prejudique o outro. Assim as maiores atrocidades são cometidas contra o outro grupo, com a consciência mais tranqüila do mundo. Esse tipo de consciência tem, para mim, algo de assustador.

A pergunta é o que a pessoa pode fazer quando se encontra numa situação como essa. Pode sair? Alguns dizem que ela deveria sair. Mas para onde poderá ir se deixar o seu grupo? Nenhum outro grupo a aceitará.

A felicidade é uma conquista da alma

E a felicidade? Afinal, ela existe?

A respeito da felicidade ocorre-me um aforismo que escrevi uma vez:

A felicidade almejada pelo "eu"
nos escapa com facilidade.
Nós crescemos quando ela se vai.

A felicidade da alma
chega e permanece.
E cresce conosco.

A felicidade existe no âmbito de um determinado movimento da vida, por exemplo, o primeiro amor, a celebração do casamento ou o nascimento de um filho.
Cada fase da vida tem as suas próprias leis e a sua própria satisfação. Isso é um fato freqüentemente ignorado. Consideremos a criança no ventre da mãe. Ela é feliz. Mas, apesar de ser feliz, depois de nove meses já não pode conter-se. Se tiver sorte vai se reencontrar nos braços da mãe, que a alimentará, cuidará dela e a amará. Depois de algum tempo isso já não é o suficiente: a criança quer andar, ir embora.
Então essa criança se transforma num adolescente, cheio de impaciência e de ânsia de liberdade. Depois de algum tempo isso também se torna monótono. Então se inicia uma nova fase: a profissão, o dever, o casamento, os filhos, etc.
Em muitas culturas esse progresso é regulado através de ritos. De modo que a criança passa da infância à adolescência e da adolescência à idade adulta de maneira predeterminada.
Esses ritos praticamente não existem em nossa cultura. Por exemplo, antigamente o serviço militar marcava para o jovem a transição para a idade adulta. Depois disso, o casamento marcava outra transição.

O senhor acha que esses rituais de transição fazem falta hoje em dia?

Acho. Vou citar mais um exemplo. Antigamente, quando alguém começava a aprender uma profissão e tornava-se aprendiz de um mestre, isso significava uma transição. Mais tarde, essa pessoa também se tornava um mestre. Eram marcos em seu caminho. Hoje existe algo semelhante, mas não se tem consciência disso.

O que há de errado na nossa idéia de felicidade?

A nossa idéia de felicidade é, na maioria das vezes, a idéia que fazemos da felicidade na juventude. Muitos consideram a juventude um período privilegiado, que querem prolongar tanto quanto puderem. Não percebem a perda que sofrem por isso.

Por exemplo, o que faz uma pessoa que, digamos, com 50 anos ainda se comporta como um adolescente? Que não tem família e nem idéia do que isso significa? De repente, ela fica solitária e nota que perdeu algo importante: a transição certa no momento certo.

Eu vejo a felicidade como algo de muitas camadas. Não é um estado de euforia. Tem mais a ver com a sensação de que estou plenamente integrado à fase de desenvolvimento em que me encontro no momento. Sou uma criança de verdade, sou um jovem de verdade, um homem de verdade, uma mulher de verdade, um pai de verdade, uma mãe de verdade. Sou bem-sucedido em minha profissão, etc.

E isso requer também que eu me retire na hora certa. Esse também é um passo importante, dar lugar àqueles que vêm depois de mim, encarando a morte.

E aqueles que têm um destino ingrato?

Quando alguém é requisitado a cumprir uma tarefa difícil, por exemplo, uma mãe que tem uma criança deficiente, alguns dizem que isso é uma infelicidade para a mãe e para a criança. Entretanto, se a mãe e a criança encararem esse fato, nasce delas uma grandeza e uma força extraordinárias. Isso é mais do que a felicidade habitual. Imagine se existisse somente gente feliz. Que seria dessa sociedade? Quanta força haveria aí? E quanta grandeza?

Existe um significado mais profundo no dever de uma mãe com uma criança deficiente?

Eu não interpretaria assim. Mas basta que olhemos as pessoas ao nosso redor. Ali está uma mãe com uma criança deficiente e que a aceita e cuida dela. Pode-se sentir o poder de cura que isso tem sobre tudo à sua volta. Isso tira algumas ilusões. Atua como um campo de força radiante.

O senhor já viveu isso de perto?

Na terapia, deparo constantemente com destinos como esse. Vejo como essas mães e esses pais lidam com isso. Curvo-me profundamente perante eles. É uma grandeza fora de meu alcance. Mas o fato de testemunhar essa situação tem um efeito de cura sobre mim.

Algumas pessoas dizem que não estamos aqui para ser felizes. O que há de perigoso na felicidade?

Só posso dizer que aqueles que são considerados felizes não são os mais realizados. Ter uma vida plena não é o mesmo que ser feliz.

Uma pessoa realmente realizada irradia algo especial. Esse seria o meu conceito de felicidade. Na minha opinião, deve existir no mundo uma quantidade incalculável dessas pessoas felizes, porque elas modificam toda a atmosfera do convívio humano. Não consigo descobrir nada de perigoso nisso. Mas é naturalmente um conceito de felicidade diferente do conceito de bem-estar-alegria-aspiração com o qual somos inundados diariamente pela mídia.

Existe a felicidade das crianças, que brincam esquecidas de si mesmas, ou dos apaixonados. Tudo isso é muito bonito. Mas realização não é felicidade nesse sentido. É estar em harmonia com a grandeza, mas também com o sofrimento e com a morte. Isso possibilita um recolhimento profundo, dá peso e serenidade. É algo bem tranqüilo. É a felicidade como conquista. Mas não é ficar esquecido de si mesmo. Tem a ver com força.

Realizações? Conquistas? O que o senhor quer dizer com isso?

Quando alguém construiu uma casa e tudo ficou muito bonito, ou quando alguém toca bem violino ou consegue realizar algo bem. Nós nos realizamos também através das nossas obras. As crianças são também uma realização para os pais. Mas a alegria que se sente é diferente daquela que sentimos num bar com amigos.

Tem mais a ver com a expressão de si mesmo.

Exatamente. A felicidade é uma conquista da alma.

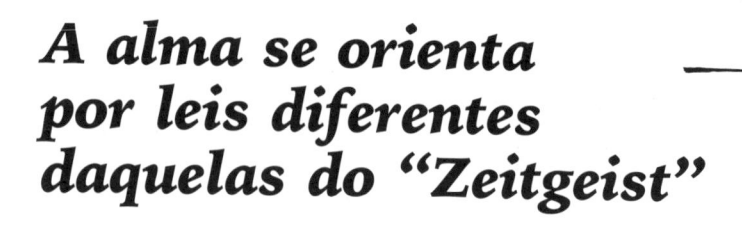

A alma se orienta por leis diferentes daquelas do "Zeitgeist"

O homem e a mulher

Há pessoas que dizem: "A ordem de Hellinger corresponde ao "Zeitgeist", ou seja, é uma volta aos antigos valores. Dizem que seu pensamento pertence ao "backlash", que o senhor quer anular os progressos do movimento feminista e a emancipação das mulheres. Até que ponto o sistema de ordens de Bert Hellinger é patriarcal?

A precedência da mulher

Quando falo de ordens, descrevo o que é visível e pode ser verificado. Por isso, defendo-me quando alguém atribui a mim essas ordens, como se eu as tivesse criado. Mas, voltando à sua pergunta. Quando se olha para as famílias pode-se ver que o peso maior recai sobre a mulher, não sobre o homem. Normalmente, no seio da família, as mulheres assumem a liderança, principalmente pelo fato de se considerarem, na maioria das vezes, melhores que os homens. Mas só podem fazer isso se estão conscientes da importância que têm.
No que se refere à criação dos filhos, considera-se quase sempre a mulher mais competente do que o homem. Isso pode ser observado nos casos de divórcio. As crianças são confiadas quase automaticamente à mulher e os homens saem de mãos abanando. A dignidade do pai não é respeitada. De qualquer modo, no caso de crianças ilegítimas, até recentemente

o pai era quase totalmente ignorado. Ele não tinha direitos, só deveres. No círculo familiar restrito domina, portanto, o matriarcado. Nele a mulher tem papel central e determina o que é essencial.

E onde começa para o senhor o patriarcado?

Existe o predomínio dos homens e uma opressão às mulheres, principalmente na vida pública. A existência de um movimento contrário, que devolve à mulher a sua dignidade também na área pública, é, sem dúvida, um grande avanço. A primazia masculina na vida pública está ligada à primazia da mulher na família. Devido ao fato de a mulher dominar no seio da família, o homem tem necessidade de se impor com mais veemência fora do lar. Aqui existe também uma necessidade de compensação. Entretanto, para mim é importante o reconhecimento recíproco de ambos os sexos. Para mim, o centro da família é a mulher. O homem está a serviço do feminino. É a mulher que preserva a vida e a transmite. Em geral, o que o homem faz na vida pública é a serviço da família. Ele representa a família fora de casa e cuida das necessidades básicas da mesma, por exemplo, de sua segurança e alimentação. Por esse motivo, ele tem na área pública uma certa precedência.

Mas, hoje em dia, isso não é mais o caso em todos os lugares.

Não na mesma medida em que era antigamente. As famílias estão se tornando pequenas, a mulher já não é mais tão solicitada como antes. Hoje em dia, a educação das crianças é mais uma tarefa conjunta e a mulher pode dedicar-se a atividades fora de casa. Esse é o desenvolvimento da sociedade. Para mim, isso não é nem o ideal nem algo que eu lastime. As coisas têm evoluído dessa forma e eu reconheço isso assim como é.

Seria totalmente correto dizer: vejo uma ordem, que tem se desenvolvido ao longo dos séculos e eu me interesso em me alinhar a essa ordem, assim como flui a energia. Como terapeuta vejo, sem dúvida, que, devido ao seu desenvolvimento histórico, ela é patriarcal, mas aceito a realidade como ela é e não desejo modificá-la.

Bem, nesse campo em particular, eu me considero envolvido no contexto sociopolítico. Mas as minhas conclusões são resultado de meu trabalho com famílias na área terapêutica.

Normalmente, o homem tem prioridade nas constelações familiares. Mas não porque seja superior, mas devido à sua função, pois, num grupo, o que é fundamental tem precedência com relação aos objetivos desse grupo. Numa clínica, a administração é um aspecto fundamental e o objetivo é a cura dos pacientes. A administração está a serviço do fundamental e os médicos e enfermeiras, a serviço dos objetivos. A administração tem precedência, pois se ocupa do fundamental. Ela não é superior aos médicos, mas precisa ter precedência na ação. Os médicos não podem interferir na administração. No entanto, a administração está a serviço dos médicos, apesar de ter precedência.

O mesmo acontece com a família: O homem tem precedência porque cuida do fundamental, mas, no que se refere aos objetivos da família, a mulher tem uma posição central.

A sua descrição é válida no caso em que o homem é o único responsável pela subsistência e a mulher se dedica à educação das crianças. Mas hoje não é mais isso o que acontece. Você então poderia dizer que, na alma, isso ainda funciona assim, apesar de não condizer mais com a realidade. Hoje em dia, muitas mulheres trabalham fora e, além disso, se encarregam do trabalho doméstico.

De momento, prefiro permanecer no modelo tradicional. Nele, normalmente o homem vem primeiro, depois a mulher e então as crianças. Quando se dá o contrário, quando a mulher se coloca em primeiro lugar e o homem em segundo — por exemplo, quando ela o despreza —, então o homem faz de tudo para deixar a família e deixa a mulher sozinha. A mulher se sente então abandonada.

Nas constelações familiares, quando recoloco o marido à direita da mulher, no primeiro lugar, ele se sente responsável e a mulher se sente aliviada e apoiada.

Se eu dissesse agora que o marido deve estar no primeiro lugar porque ele é um homem, seria um ponto de vista patriarcal. Isso eu rejeito. Eu vejo o que traz mais harmonia e contribui melhor para o bom desenvolvimento de todos no seio da família.

É diferente se os dois trabalham e não vivem de acordo com o modelo tradicional?

Se os dois trabalham, a mulher tem, mesmo assim, a precedência no seio da família. Ela assume as tarefas mais importantes para o funcionamento da mesma. O marido talvez ajude, mas não é que os papéis possam ser trocados e que possa existir igualdade. A desigualdade fica enfraquecida, mas não eliminada.

Quando o marido não pode se ocupar da família — por exemplo, quando é doente ou necessita de cuidados —, então a mulher assume o primeiro lugar também fora da família.

O respeito

Também existe um grupo de mulheres no movimento feminino que só usam o homem para ter filhos, mas se ocupam sozinhas de todo o resto. São mães solteiras por escolha própria, e que preferem não ter homem nenhum por perto.

Essa é uma negação da realidade e uma violação da ordem. As crianças, mais tarde, freqüentemente acabam se vingando da mãe por isso. Faz-se uma injustiça contra as crianças negando a elas um pai. Quando a mãe diz: "Eu posso dar conta de tudo", o masculino é desprezado e reprimido. Dessa família se originam rapazes cujo comportamento masculino tem uma forma distorcida, porque as outras formas não contaram com o respeito da mãe. O comportamento radical de direita é freqüentemente uma vingança à arrogância da mãe, que achava que poderia desprezar ou banir o homem.

Acho que o número de mulheres que dizem: "Quero uma criança mas não um marido" é extremamente pequeno. A maioria das mães criam os filhos sozinhas porque chegaram ao ponto em que não tinham mais condições de viver com o pai ou o pai de viver com elas.

Mas essa maneira de pensar pode ser detectada também em muitas outras famílias.

Também nesse ponto voltamos às mulheres — desta vez ao desprezo das mulheres pelos homens. O movimento feminista foi uma reação contra o desprezo masculino pelas mulheres e pelo feminino. Portanto, parece que existe desprezo de ambos os lados. Como é que o senhor explica o que observou quanto ao desprezo masculino pelas mulheres?

A dupla transferência

Da mesma maneira como eu explico o desprezo dos homens pelas mulheres. Em ambos os casos, existe muitas vezes uma compensação por injustiças cometidas no passado. Às vezes, isso pode ser observado em famílias em que uma criança nascida mais tarde — uma neta, por exemplo — deseja compensar a injustiça cometida pelos homens à avó. São mulheres que foram abandonadas ou exploradas, espancadas ou menosprezadas pelo marido. Existem exemplos terríveis.

Então a neta diz: "Isso não pode acontecer nunca mais". Quer colocar as coisas em ordem, postando-se contra os homens ou tratando o próprio marido como se ele tivesse feito o mesmo com elas. Ela não percebe que assim se coloca acima de sua avó, como se esta dependesse dela. Dessa maneira, entretanto, ela mostra desconsideração pela avó.

Por querer assumir algo que não lhe compete?

Exatamente. A raiva e a agressividade dessa mulher não é fruto da própria experiência, mas da injustiça cometida contra outra pessoa. Ela não está colocando em ordem algo que diz respeito a ela.
Se, por exemplo, um homem comete uma injustiça contra uma mulher e ela exige, se necessário também agressivamente, que ele repare o que fez, ela está sendo fiel à sua própria dignidade. A força para tanto se origina da injustiça e do sofrimento dos quais ela foi vítima. Se a agressividade dela não é resultado da própria experiência, ela não terá força para colocar as coisas em ordem.
Se a injustiça cometida contra uma mulher for vingada por outras mulheres em outros homens, haverá uma dupla transferência, não somente em relação ao sujeito — por exemplo, da avó para a neta —, mas também em relação ao objeto — por exemplo, do avô para o marido da neta. A agressão não se dirige contra o agressor, mas contra algum outro homem ou contra os homens em geral. Isso não leva a uma solução, apenas desencadeia um movimento contrário que causa, de maneira totalmente infrutífera, uma luta entre os sexos, na qual todos só têm a perder.
O caminho para a solução seria que essa mulher primeiro devolvesse a dignidade à sua avó ou a outras mulheres atingidas. Dizendo, por exemplo: "Eu me curvo perante o seu destino, assim como você o suportou e o venceu. E disso tiro a força para fazer eu mesma algo de bom e grandio-

so". Assim ela não precisa vingar a avó. Ela recebe a força dela e pode fazer justiça à sua dignidade como mulher, sem depreciar ninguém. A grandeza não se alcança diminuindo os outros, mas ficando em paz consigo mesmo, e isso faz com que outras pessoas também sejam reconhecidas.

Uma vez o senhor disse: "Nós vivemos numa era feminina em que os homens estão sendo obrigados a bater em retirada".

Isso foi dito de maneira provocativa. As mulheres estão na ofensiva de maneira saudável, sem que os homens tenham que se retirar. Mas quando as mulheres combatem os homens, muitos deles preferem se retirar. Esse tipo de retirada não é uma vantagem para as mulheres. Não se consegue a simpatia de um homem, combatendo-o.

Portanto, quando o senhor diz que as mulheres desprezam os homens, não está lhes atribuindo culpa. O senhor vê isso como um emaranhamento devido à história familiar.

É uma conseqüência do destino de membros da família anteriores, que está sendo retomado. Simplesmente porque as mulheres agora têm mais possibilidades. Considero um grande avanço as mulheres terem lutado para alcançar os seus direitos.

Quais são os efeitos disso no âmbito terapêutico e sociopolítico? O senhor continua dizendo que na família os homens têm precedência. Que afirmação é essa?

Esse tipo de afirmação generalizada é problemático. Não dito normas sociais, eu me restrinjo à área terapêutica, na qual os efeitos podem ser verificados. Quando trabalho com famílias, pergunto: onde e como todos os membros de uma família se sentem melhor? Com o homem em primeiro lugar ou com a mulher em primeiro lugar? Experimento nas constelações. Em 70% dos casos, a família se sente melhor quando o homem está na frente e, em 30%, quando a mulher ocupa esse lugar.

Isso reflete o padrão patriarcal que se desenvolveu historicamente? E a socialização tem o seu papel também no inconsciente?

A alma

É mais do que isso. Ali atua também a alma. A alma não se orienta pelas exigências sociopolíticas. Se, por exemplo, for feita a reivindicação: as mulheres devem ocupar o primeiro lugar, o matriarcado deve ser restabelecido também na vida pública, isso pode parecer sensato. Entretanto, essa reivindicação não será reconhecida pela alma dos envolvidos. Ela se comportará como se algo não estivesse em ordem e sofrerá por isso. A alma não se orienta por ideologias. Não se pode dizer, tampouco, que os profundos processos psíquicos dependem da socialização. Só podemos ver que, em nossa cultura, as almas reagem praticamente da mesma maneira.

Mas isso depende então da cultura?

A conclusão seria a de que só é preciso modificar a cultura para modificar também a alma. Mas não é assim que ela muda. Mesmo que a opinião pública passe, de repente, a ver as coisas de outra maneira, as almas continuarão reagindo como sempre reagiram.

O senhor tem certeza disso?

De acordo com o que eu tenho visto até agora, a alma se orienta por leis diferentes daquelas do "Zeitgeist".

Podemos conhecer essas leis?

Para mim elas estão ocultas. Vemos apenas os efeitos. Eu prefiro dar mais atenção àquilo que realmente toca a alma e procurar soluções baseadas nesse fundamento. Essas soluções são encontradas sem conflito, pois a alma não deseja que a mãe, ou a mulher ou o homem sejam depreciados. Ela deseja que as coisas sejam colocadas em ordem e que tenham um efeito benéfico.

Quando da leitura de seus livros, chama a atenção o fato de que as mulheres representam um papel muito mais importante que os homens na solução dos emaranhamentos. O senhor diz então que as mulheres costumam se considerar melhores do que os homens. Como é isso?

Isso eu me pergunto também. Mas é verdade: A chave para a solução está muito mais freqüentemente com as mulheres que com os homens. Há um reconhecimento implícito.

O homem e a mulher não têm o mesmo peso. As mulheres costumam ter mais peso. Elas estão mais centradas. E o homem está mais a serviço da mulher do que o contrário. Pelo menos é o que se vê na maioria das famílias.

O senhor diz também que as mulheres costumam se considerar superiores aos homens. Mas esse sentimento de superioridade é a base de desenvolvimentos prejudiciais.

É claro que a mulher, por meio da experiência da gravidez e do parto, está consciente da sua particular importância. Não no sentido de superioridade, mas porque sente essa importância.

O homem não passa por essas experiências profundas. Ele as procura de outra maneira. O homem tem que se assegurar repetidamente de sua masculinidade, o que se faz menos necessário para a mulher. O homem se assegura de sua masculinidade geralmente na companhia de outros homens.

O homem é diferente da mulher. Não porque queira, mas porque a vida assim determinou. Freqüentemente, é difícil para a mulher entender por que o homem é tão diferente. Embora, para o homem, isso também seja difícil, não o é na mesma medida em que é para a mulher.

Para mim, isso não resolve o problema de sentir-se superior. Não é pouco o senhor dizer que as mulheres, na família, em geral tomam o cetro nas mãos no seio da família simplesmente pelo fato de se sentirem superiores ao homem.

Sentir-se superior é uma degeneração do reconhecimento da própria importância. Se as mulheres apenas reconhecessem essa importância, elas não precisariam se sentir superiores.

Mas o senhor diz que as mulheres, em geral, se sentem superiores.

Tudo bem, às vezes eu também faço um pouco de graça.

Eu ainda quero falar sobre isso seriamente. O movimento feminista é justamente contra o desrespeito pelo feminino. O que resta às vítimas do uso injusto do poder senão se sentirem superiores?

A opressão e a limitação da mulher no decorrer de muitos séculos é um fato grave. Eu só posso esclarecê-lo através do medo do homem diante do peso maior da mulher. Ele trata de se defender dominando-a ou domesticando-a. Mas eu também vi que o masculino serve o feminino. A tarefa seria, agora, que os homens encarassem a importância do feminino com profundo respeito. Assim, serão concedidas à mulher as mesmas chances e direitos que o homem reclama para si.

O pouco de dignidade que a mulher recuperou na vida pública foi obtida com muita luta.

Sim, é verdade. Por outro lado, muitos homens tiveram o bom senso de respeitá-las de bom grado, principalmente no seio da família.

Será? Somente porque as mulheres quiseram trabalhar fora e ganhar o seu próprio dinheiro houve, e há ainda hoje, em diversos lugares, uma intensa resistência por parte dos homens.

Se a mulher ganha dinheiro e ganha o suficiente para viver só, o peso dela aumenta ainda mais. O homem costuma ver isso como algo excessivo, o que de fato é. Seria necessária uma nova cultura, com novas regras de convivência.

O senhor diz que as mulheres não se vingam pela injustiça que lhes é feita, senão por aquela que foi feita às suas mães ou avós. Para mim isso é muito unilateral. Muitas mulheres sofrem hoje muitas injustiças, feitas contra elas como mulheres. A remuneração desigual (78% das mulheres alemãs não estão em condições de custear o próprio sustento) é um exemplo, ou as mulheres que são abandonadas com os filhos e sem dinheiro, etc. Não é sem razão que se diz que a pobreza é coisa de mulher. Teríamos ainda diversas coisas a enumerar. Essas não são injustiças cometidas a outras pessoas.

É verdade. Mas eu gostaria de perguntar, num nível mais sutil: como é que a mulher que luta contra essas injustiças honra o homem? Ela demonstra respeito por ele? Já honrou, por exemplo, os seus direitos como pai? Muito freqüentemente ela não faz isso. Não é só uma questão do comportamento do homem. O homem se comporta assim porque tem sido desvalorizado ou excluído pela mulher. É como um círculo vicioso.

Em todo o movimento radical, existem muitas coisas que não são levadas em consideração. Acho que isso é natural. Se eu entendo bem, o senhor é da opinião de que, apesar de todas as injustiças, é importante que a mulher honre o masculino. Para o senhor isso corresponderia a uma nova cultura de convivência? Que homens e mulheres aprendam a honrar o sexo oposto? E que as mulheres não associem aos homens todo o mal desse mundo?

A senhora se expressou muito bem.

Eu me preocupo com a nova geração

O engajamento e o equilíbrio

O senhor é terapeuta familiar. Por isso, é natural que volte sempre ao tema mãe, pai e filhos. Porém, isso faz com que uma parte da humanidade pareça ter sido excluída, como aqueles que não têm filhos, que não têm um relacionamento ou que têm outro tipo de vida em comum, diferente do casamento ou da família tradicionais. Essa diversidade de estilos de vida corresponde muito mais à realidade atual. Às vezes, tem-se a impressão de que, na sua opinião, não é natural que uma mulher não tenha filhos.

A perda

Durante muitos séculos, era inevitável que a mulher desse à luz muitos filhos. Na Antiguidade, cada mulher tinha que ter cinco filhos para garantir a continuidade da vida numa cidade. Isso fazia parte da vida. Já não podemos nem imaginar como era a vida dessas pessoas, convivendo com a morte precoce. Entretanto, elas eram alegres e sensuais.
Mas tanta vida só pode florescer na mesma medida que a morte. Se já não existem tantas mortes, tampouco poderia haver tamanha produção de novas vidas. Falando cinicamente, os grandes avanços da medicina, que nos preservam de uma morte precoce, privou-nos de outra grande realização.
Hoje seria inimaginável que todo casal tivesse quatro ou cinco filhos. Quanto a isso, devido à nossa situação, somos obrigados a seguir um

outro caminho. Muitos casais não têm filhos e existem muitas pessoas solteiras. Isso é adequado à nossa situação.
O estranho é que muitos que decidem não ter filhos acham que optaram por um caminho melhor. Talvez não notem que esse é um caminho necessário e predeterminado pelo desenvolvimento global. E também não notam algo mais: que, embora satisfeitos com a escolha que fizeram, ficaram excluídos de algo importante.

O senhor se refere agora a mulheres e casais sem filhos?

Antigamente, ter muitos filhos era gratificante tanto para as mulheres quanto para os homens. Não havia outra possibilidade. Hoje em dia, se uma mulher tem só um filho, a vida dela não fica preenchida pela família. E, se não tiver filhos, muito menos. Então ela procura agora outros campos de atividade, nos quais pode se desenvolver. Isso é conveniente. A plenitude profunda que as mulheres sentiam com uma família numerosa já não pode ser alcançada dessa maneira.
Rilke descreve isso a seu modo. Estamos perdendo a natureza. Estamos perdendo o espaço amplo. Estamos perdendo a diversidade. A Terra está-se empobrecendo. Muito do que existia desapareceu e só nos ficaram as lembranças. Mas já não existe ao nosso redor. A tristeza por essa perda nos devolve algo da riqueza perdida e de sua profundidade.
Se uma mulher nota que a realização por meio da maternidade não é possível para si e sente isso como uma perda e apesar de tudo a aceita, então ganha, através dessa tristeza e dessa renúncia, algo da possibilidade perdida. Isso enriquece as suas outras atividades. Se exercer uma profissão com a consciência dessa perda, ela se sentirá realizada, mas de maneira diferente do que se dissesse com desprezo: "Ah! Que importam as crianças, a igreja e a cozinha". Ou se considerasse a carreira só como um progresso, quando, na verdade, é também uma perda.
Não que devamos ou possamos mudar esse fato. Isso não é possível. Mas olhar para essa perda, dar um lugar para ela no coração, recordá-la e, com essa recordação, encarar o que nos é possível, isso tem profundidade.

O que o senhor faz, no âmbito terapêutico, nas constelações familiares, quer dizer, reintegrar as pessoas falecidas não-reverenciadas, tem uma certa correspondência no nível social?

Ainda não considerei sob esse ponto de vista, mas concordo com a senhora. Sente-se uma certa plenitude quando se inclui o que foi perdido, mesmo que isso esteja morto e não possa ser trazido de volta.

Isso não é uma nostalgia, no sentido de que antigamente tudo era melhor, nem é a negação do que passou, baseada no lema de que hoje tudo é melhor do que antigamente.

Não é nem arrogância, nem nostalgia, nem o desejo de trazer algo de volta, como se o antigo pudesse ser restabelecido. Pode-se retardar desenvolvimentos, pode-se preservar o máximo possível, mas imaginar que se possa salvar tudo é para mim ilusório.

Há pouco o senhor usou uma palavra que não costumo ouvir quando conversamos: o engajamento. E o senhor estava falando em agir para alcançar o que é bom. Existe para o senhor algo assim como engajamento? O senhor se referiu àqueles que se engajam de maneira negativa, porque freqüentemente se consideram superiores. Qual é o seu conceito de engajamento?

A preocupação pelas gerações futuras. Essa é uma preocupação adequada aos adultos. Por exemplo, que as crianças estejam bem, que tenham as chances de que necessitam para o seu desenvolvimento.

Isso não é tarefa somente dos pais?

Não. Toda realização se origina dessa preocupação. Também na política o fator decisivo é a preocupação com as gerações futuras. Essa preocupação é sem agitação, bem tranqüila. É uma compensação. Quer dizer: eu tomo aquilo que recebi de meus pais e os reverencio, transmitindo essas dádivas e deixando que fluam para os outros.

Por exemplo, depois de um trabalho terapêutico muitas vezes imagino: como se sentirão os filhos depois que os pais estiveram comigo? Muitos deles se sentem melhor. Isso me comove. Mas não é um envolvimento no sentido de que eu faça alguma coisa. É como uma serena ressonância, é absorver tudo o que se recebeu e passar isso adiante.

A gente vê isso quando os avós estão junto com os netos. Nota-se que eles estão à vontade. Eles passam adiante o que têm, sem exigências. Essa é para mim uma bela imagem, uma imagem da velhice.

Quem se encontra no apogeu da vida não precisa agir assim. Seria irracional. Mas é belo reconhecer que estamos fluindo com a corrente da vida da qual viemos, da qual participamos e que passaremos adiante.

Isso seria uma espécie de ética.
Bem, seria, caso não fosse tão trivial. Não é preciso dizer isso a ninguém. Quanto à ética, exige-se que seja cumprida. Eu não preciso dizer a um avô como deve se comportar com os netos. Ele já sabe. Se aí coloco uma ética, pode ser até que eu vá contra a corrente da vida.

A reviravolta do destino

O senhor fala tanto em entregar-se ao destino. Qual é a relação disso com o engajamento?
O destino é algo que foi predeterminado, mas que não pode ser definido com exatidão. Engajamento é algo como uma vocação.

Cada pessoa tem um destino predeterminado?
Predestinação é uma palavra muito forte. Eu prefiro dizer que somos chamados a servir. Isso tem a ver com perseguir um objetivo. Por outro lado, cada indivíduo está limitado por circunstâncias, doença, constituição física, país, povo. Ele se desenvolve no seio daquilo que lhe foi apresentado. Se ele aceita essas limitações, adquire forças para uma vida de realizações.
Como terapeuta presto atenção no seguinte, em cada pessoa: onde leva o caminho dela? Em que direção? E onde estão os limites dela? Eu a levo a concordar com essas limitações. Não dou espaço à ilusão de que seus sonhos possam se tornar realidade.
Uma parte do destino é também a aceitação das conseqüências das próprias ações e da própria culpa. A pessoa pode ter um parceiro, uma determinada profissão, filhos. Ela pode estar limitada por uma expectativa de vida curta, ou pode estar se encaminhando para um fracasso, tudo isso talvez faça parte do destino dela. Isso tudo pode acontecer e eu não intervenho aí. Faço a mesma coisa que a pessoa deve fazer. Concordo com esse destino. E, por concordar com ele, posso encontrar caminhos benéficos dentro desses limites predeterminados.

Não existe nenhuma intervenção que possa dar uma reviravolta no destino?

Naturalmente que existe. O que causa reviravolta no destino não vai contra esse destino. A possibilidade de uma reviravolta é, às vezes, um presente do próprio destino. Porém, se eu vejo que ainda não chegou a hora, não faço nada.

Isso seria mais pré-moderno do que pós-moderno. O homem moderno parte do princípio de que tem a vida em suas próprias mãos e que ele mesmo decide sobre o seu destino. Diz-se também que as pessoas criam a própria vida. No âmbito desse destino, não existe espaço também para a criação da própria felicidade e infelicidade?

Claro que existe. Mas também existe a possibilidade de deixar-se levar pela corrente e de se submeter. Quando alguém nota que foi chamado a servir e se submete a isso, encontrará caminhos que antes nunca teria imaginado. O objetivo não é nítido e os passos seguintes são dados no escuro. Essa pessoa se sente em ressonância, mas não sabe exatamente para onde está indo. Então, ela em geral é levada a algo maior e muito mais gratificante do que aquele que só confia em si mesmo. Pois o "querer fazer" cria resistências.

Quando o senhor fala de ordens, chama-me a atenção o fato de que o senhor volta sempre a esse "sentir-se superior aos outros". Essa atitude parece ser o motivo principal da perturbação das ordens. Existem ainda outras atitudes que causem conseqüências semelhantes?

Sim, mas num sentido positivo. Quando reconheço que todos têm o mesmo direito de pertinência, mas não como postulado; como uma ordem atuante. Ou quando reconheço que cada pessoa tem o seu lugar especial no sistema como um todo. Ninguém é melhor ou pior, apenas por ser diferente.

As ordens da alma e a moral

Essa é uma ordem da alma bastante amoral.

Pode-se dizer também que é a moral mais elevada.

Quando digo amoral, estou me referindo ao fato de que, antigamente, uma mulher com um filho ilegítimo era marginalizada, assim como as que viviam com um homem sem serem casadas ou eram homossexuais. Mantinha-se em segredo os filhos ilegítimos e isso correspondia à moral praticada na época.

Essa moral é um instrumento que ajuda a pessoa a se colocar acima dos outros. Todos os conflitos graves se originam dessa atitude básica: eu tenho mais direitos que você, eu tenho o direito de excluí-lo. Esses são graus de destruição.

Com amoral, quero dizer: esse é um sentimento de ordem e igualdade totalmente independente da moral dominante na sociedade.

Exatamente.

Isso significa também que essa "ordem da alma" pode ir contra a moral dominante. Se penso, por exemplo, nos controles rígidos praticados nas cidades pequenas e na moral estrita dos anos 50, vejo que existem situações históricas e sociais que são predestinadas para esse tipo de exclusão dos outros.

Exatamente. Assim, tão logo se apresente um distúrbio e um grupo já não funcione, o primeiro passo é saber se alguém foi excluído. Então essa pessoa é trazida de volta para o grupo.

O senhor também tem uma idéia formada acerca do que é bom, mesmo quando diz que aceita o mundo tal qual ele é. Como o senhor define o que é bom? Como podemos evitar esse sentimento de superioridade?

O critério para saber se algo é bom é: Traz às pessoas alívio, alegria ou ameniza uma necessidade? Mas também vejo muitas vezes que as pessoas se sentem melhor quando me contenho e não me intrometo em assuntos alheios. Portanto, não se trata somente de fazer o bem, mas também de permitir o bem.

O seu trabalho sempre gera muita discussão. Como é que o senhor lida com as críticas negativas?

É bem simples: se a pessoa faz algo que tem um efeito bom, então concordo com ela.

Epílogo

Como tradutoras, temos o grato prazer de transcrever aqui um poema de Bert Hellinger que, a nosso ver, sintetiza de maneira admirável a essência deste livro:

Duas maneiras de saber

Um erudito perguntou a um sábio
como as partes se unem num todo
e como o saber sobre as muitas partes
se diferencia do saber sobre o todo.

O sábio respondeu:
O disperso se agrega num todo
quando encontra seu centro
e passa a atuar.

Pois só tendo um centro, o muito torna-se
essencial e eficiente,
e o todo então se nos revela como algo simples,
quase como pouco,
como força serena que segue adiante,
uma força que tem peso
e está contígua àquilo que sustenta.

Assim, para conhecer
ou transmitir o todo,
não preciso
saber,
dizer,

ter,
fazer
tudo em detalhe.

Quem quer entrar na cidade
passa por uma única porta.
Quem dá uma badalada num sino
faz retinir, com esse único som, muitos outros.
E quem colhe a maçã madura
não precisa averiguar a sua origem.
Ele a segura na mão
e a come.

O erudito não concordou: quem quer a verdade,
tem que conhecer também todos os detalhes.

Mas o sábio contestou.
Sabe-se muito apenas sobre a verdade que nos foi legada.
A verdade que leva adiante
é nova,
e ousada.

Pois ela contém o seu fim
assim como, uma semente, a árvore.
Portanto, aquele que ainda hesita em agir,
porque quer saber mais
do que lhe permite o próximo passo,
não aproveita o que faz.
Ele toma a moeda
pela mercadoria,
e transforma em lenha
as árvores.

O erudito acha
que essa pode ser apenas uma parte da resposta
e pede-lhe
um pouco mais.

Mas o sábio se recusa,
pois o todo é, no princípio, como um barril de mosto:

doce e turvo.
E precisa fermentar durante um tempo suficiente
para ficar claro.
Então, aquele que o bebe, em vez de degustá-lo,
passa a cambalear embriagado.

Eloisa Giancoli Tironi e
Tsuyuko Jinno-Spelter

Impresso por :

Graphium
gráfica e editora

Tel.:11 2769-9056